Passwort Deutsch

Ausgabe in drei Bänden

Übungsbuch

1

Ernst Klett Sprachen
Stuttgart

Impressum

Autoren: Gaby Grüßhaber, Angela Kilimann, Karen Papendieck, Susanne Schäfer, Tina Schäfer

Zeichnungen: Dorothee Wolters

Fotografie: Jürgen Leupold

Projektteam Klett Edition Deutsch

Konzeption: Jürgen Keicher

Layout/Herstellung: Andreas Kunz

Satz: media office GmbH, Kornwestheim
Markus Dollenbacher, Stuttgart

Wir danken den Kolleginnen und Kollegen vom Außendienst und vom internationalen Vertrieb sowie ihren und unseren zahlreichen Gesprächspartnern für die wertvollen Anregungen aus der Praxis.

1. Auflage A1 5 4 3 2 | 2009 2008 2007 2006 2005

Alle Drucke dieser Auflage können nebeneinander benutzt werden, sie sind untereinander unverändert.

Druck: Ludwig Auer GmbH, Donauwörth
Printed in Germany

Internetadressen: www.passwort-deutsch.de
www.klett-edition-deutsch.de

E-Mail: info@passwort-deutsch.de
edition-deutsch@klett.de

ISBN 3-12-675911-4
9 783126 759113

ISBN: 3-12-**675911**-4

Übungsbuch

Zu jeder Kursbuchlektion finden Sie hier im Übungsbuch eine Lektion mit passenden Übungen.
Am besten benutzen Sie Kurs- und Übungsbuch parallel:
Nach jedem Abschnitt im Kursbuch können Sie den neuen Stoff im Übungsbuch üben.

Ein Verweis zeigt Ihnen, zu welchem Abschnitt im Kursbuch die Übungen gehören:

Seite 62	Aufgabe 1–3

Das bedeutet: Wenn Sie im Kursbuch auf Seite 62 die Aufgaben 1, 2 und 3 gelöst haben, können Sie alle Übungen im Übungsbuch bis zum nächsten Verweis machen.

Übrigens können alle Übungen allein bzw. auch zu Hause gemacht werden:
Ein Beispiel zeigt, wie jede Übung funktioniert.
Mit dem Lösungsschlüssel im Anhang kann man seine Antworten auch selbst kontrollieren.

Lektion 1

Guten Tag

Seite 10/11	Aufgabe 1–4

1 Hallo! Was passt?

Tschüs! Guten Abend! Guten Morgen! Auf Wiedersehen! ~~Guten Tag!~~

1 *Guten Tag!*

2 ______________

3 ______________

4 ______________

5 ______________

2 Fragen und Antworten. Was passt? Kombinieren Sie.

① Wie heißen Sie bitte? → B
② Woher kommst du?
③ Wo wohnst du?
④ Sind Sie Herr Bauer?
⑤ Wie heißt du?
⑥ Wohnen Sie in Berlin?

A Aus Russland.
B Ich heiße Hansen, Christian Hansen.
C Nein, mein Name ist Hansen.
D Ich heiße Maria.
E Nein, ich wohne in Frankfurt.
F In Frankfurt.

1	*B*
2	
3	
4	
5	
6	

3 Eine Antwort passt nicht. A, B oder C?

1. Wie heißt du?
A Maria.
~~B Nein, ich heiße Maria.~~
C Ich heiße Maria Schmidt.

2. Kommst du aus Deutschland?
A Ja, aus Berlin.
B Aus Deutschland.
C Nein.

3. Wo wohnen Sie?
A In Frankfurt.
B Ich wohne in Frankfurt.
C Ja, in Frankfurt.

4. Sind Sie Frau Schmidt?
A Ja, Maria.
B Ja, das bin ich.
C Nein.

4 Antworten Sie bitte.

Ich komme aus Deutschland. Nein, aus Deutschland. Christian Hansen. ~~Guten Tag!~~ Nein, ich wohne in Frankfurt.

1. Guten Tag! *Guten Tag!*
2. Woher kommen Sie? ______
3. Wohnen Sie in Wien? ______
4. Wie heißen Sie bitte? ______
5. Kommen Sie aus Russland? ______

5 Bitte fragen Sie.

Kommst du aus Deutschland? Wie heißen Sie bitte? Woher kommen Sie? ~~Wie heißt du?~~ Wohnen Sie in Wien?

1. *Wie heißt du?* Ich heiße Philipp.
2. ______ Ja, aus Frankfurt.
3. ______ Mein Name ist Berger.
4. ______ Ich komme aus Österreich.
5. ______ Nein, ich wohne in Salzburg.

6 Was passt?

heiße wohne wo und ~~heißt~~

Philipp: Wie *heißt* du?
Anna: Anna, ______ du?
Philipp: Ich ______ Philipp.
Anna: Und ______ wohnst du?
Philipp: Ich ______ in Wien.

Sind aus Kommen Name

Herr Hansen: ______ Sie Herr Berger?
Herr Bauer: Nein, mein ______ ist Bauer.
Herr Hansen: ______ Sie aus Deutschland?
Herr Bauer: Ja, ______ Bremen.

7 *Wo? Woher? Wie?* Ergänzen Sie.

1. Wo ________ wohnst du?
2. ________ heißen Sie?
3. ________ kommst du?
4. ________ heißt du?
5. ________ wohnen Sie?
6. ________ kommen Sie?

8 *Sie* oder *du*?

a) Bitte ordnen Sie.

~~Kommen Sie aus Deutschland?~~ Wie heißen Sie? Woher kommst du?
Bist du Christian? Wo wohnen Sie? Sind Sie Herr Bauer?
Wie heißt du? Wohnst du in Berlin?

Sie	du
Kommen Sie aus Deutschland?	

b) Markieren Sie bitte.

1. ▶ Woher kommst du?
   ◁ Aus Russland. Und du?
   ▶ Ich komme aus Österreich.

   Sie **(du)**

2. ▶ Hallo, Frau Schmidt!
   ◁ Guten Abend, Frau Fischer.

   Sie **du**

3. ▶ Entschuldigung, wie ist Ihr Name?
   ◁ Ich heiße Hansen. Und Sie?
   ▶ Mein Name ist Berger.

   Sie **du**

4. ▶ Tschüs, Anna!
   ◁ Tschüs, Philipp!

   Sie **du**

9 *Sie, du, ich?* Bitte ergänzen Sie.

1. ▶ Wie heißen Sie ________ bitte?
   ◁ ________ heiße Juri Filipow.
   ▶ Kommen ________ aus Russland?
   ◁ Ja, ________ komme aus Moskau.
   Und ________?
   ▶ ________ komme aus Deutschland.

2. ▶ Woher kommst ________?
   ◁ ________ komme aus Bremen.
   ▶ ________ heiße Anna. Und wie heißt ________?
   ◁ Thomas.
   ▶ Wohnst ________ auch in Bremen?

10 Was ist richtig?

1. Woher — komme / kommst / kommt — du?
2. Ich — heiße / heißen / heißt — Philipp.
3. Wo — wohne / wohnen / wohnst — Sie?
4. Wie — heiße / heißen / heißt — Sie?
5. Bin / Bist / Sind — du Anna?
6. Ich — komme / kommen / kommst — aus Wien.

11 Vier Fragen

Woher **Maria Schmidt** **Sind** **Sie** **heißen** **kommen** **Sie** **Wo** **Sie** **Sie** **wohnen** **Wie**

a) Schreiben Sie bitte.

Woher kommen Sie?

____

____

____

b) Und du?

Woher kommst du?

____

____

____

12 Ein Dialog: Sprechen Sie mit Nina.

Nina: Guten Morgen!

☺ *Guten Morgen!*

Nina: Ich heiße Nina. Und du?

☺ ______________________________.

______________________________?

Nina: Aus Deutschland. Und du?

☺ ______________________________.

Nina: Wo wohnst du?

☺ ______________________________.

______________________________?

Nina: In Frankfurt.

Die Welt

Seite 12	Aufgabe 1–5

1 Was passt nicht?

1. Australien Europa ~~Österreich~~ Asien
2. Deutschland Russland Österreich Frankfurt
3. wohnen liegen woher kommen
4. wo Weltkarte wie woher

2 Lesen Sie im Kursbuch Seite 12, Aufgabe 1. Ergänzen Sie bitte.

Eine Weltkarte. Hier ist E*uropa*______. Wo ist die Sch__________?
Wo ist Ö__________? Wo ist D__________?
D__________, Ö__________ und die Sch__________ liegen in E__________.
Hier sprechen viele Menschen Deutsch.
Wohnen Sie auch in E__________? Oder in A__________? Und woher kommen Sie?
Aus A__________? Aus A__________ oder aus A__________?

3 Suchen Sie 10 Länder.

1. *China*
2. __________
3. __________
4. __________
5. __________

R	A	K	M	H	A	N	X	B	I
U	M	E	I	O	P	O	L	E	N
S	P	N	V	B	K	R	J	L	D
S	Y	I	J	C	O	W	B	G	I
L	S	A	A	H	C	E	M	I	E
A	M	Q	P	I	W	G	T	E	N
N	S	P	A	N	I	E	N	N	A
D	S	D	N	A	G	N	H	U	B
F	R	A	N	K	R	E	I	C	H

6. __________
7. __________
8. __________
9. __________
10. __________

4 a) Was ist Deutsch? Markieren Sie bitte.

1. A España
   B Spain
   ~~C~~ Spanien
2. A Austria
   B Österreich
   C Oostenrijk
3. A Schweiz
   B Suisse
   C Switzerland
4. A France
   B Francja
   C Frankreich
5. A Großbritannien
   B Great Britain
   C Gran Bretaña
6. A Rusko
   B Rússia
   C Russland

b) *-ien, -land, -reich*: Lesen Sie im Kursbuch Seite 12 und ergänzen Sie.

-ien: *Argentinien,* __________
-land: __________
-reich: __________

5 Schreiben Sie richtig.

1. dAs IsT eiNE welTkARte. *Das ist eine Weltkarte.*
2. hIEr ist asIEN. ____
3. CHiNa, inDieN UND japAn liegeN iN aSiEn. ____
4. SprechEN diE menSCHeN hieR deuTSCH? ____

6 Ist das richtig?

1. Wo liegt China? In Australien? *Nein, in Asien.*
2. Wo liegt Österreich? In Amerika? ____
3. Wo liegt Marokko? In Asien? ____
4. Wo liegt Indien? In Europa? ____
5. Wo liegt Ecuador? In Afrika? ____

Seite 13	Aufgabe 6–7

1 Kreuzworträtsel. Was ist das?

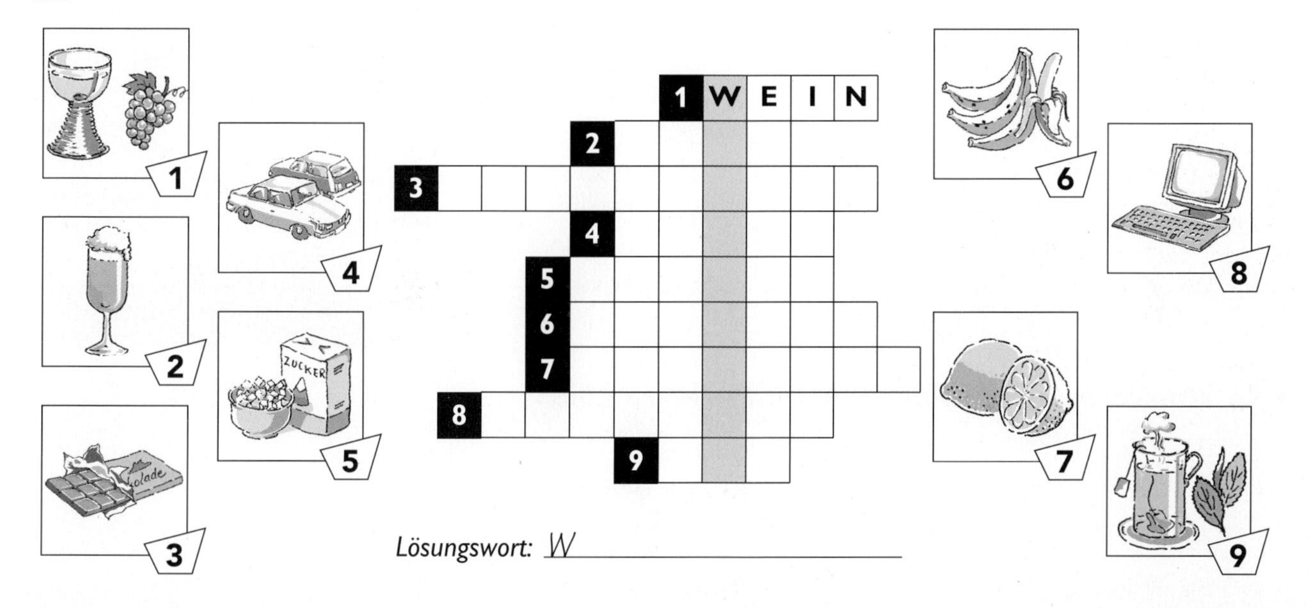

Lösungswort: W ____

2 Ordnen Sie bitte.

~~in~~ kommen ist aus wohnen liegt

wo — *in*

woher

Mitten in Europa

Seite 14	Aufgabe 1–3

1 Was ist richtig?

1. Wo | fährt / ist / kommt | der Zug?
2. Wo / Woher / Wohin | kommt | der Zug?
3. Wohin | fährt / ist / kommt | der Zug?
4. Deutschland | kommt / liegt / wohnt | mitten in Europa.

2 *Wo* oder *wohin*? Wie fragen Sie?

1. Deutschland liegt in Europa.
2. Der Zug fährt nach Berlin.
3. Herr Hansen wohnt in Frankfurt.
4. Berlin ist in Deutschland.
5. Viele Menschen fahren nach Amerika.

Wo?

Wohin?

3 *Aus*, *in* oder *nach*?

1. Wo liegt Deutschland? In ______ Europa.
2. Woher kommt der Tee? ______ Asien.
3. Wohin fährt der Zug? ______ Berlin.
4. Woher kommen die Bananen? ______ Ecuador.
5. Wo wohnt Frau Hansen? ______ Frankfurt.

4 *Wo, woher, wohin? Aus, in, nach?* Markieren Sie.

1. A Wo / B Woher / C Wohin — fährt der Zug? — D Aus / E In / F Nach — Paris. — 1. [C] [F]
2. A Wo / B Woher / C Wohin — liegt Deutschland? — D Aus / E In / F Nach — Europa. — 2. [ ] [ ]
3. A Wo / B Woher / C Wohin — kommen Sie? — D Aus / E In / F Nach — Spanien. — 3. [ ] [ ]

5 Wie fragen Sie?

1. Der Zug ist in Deutschland. *Wo ist der Zug?*
2. Er kommt aus Kopenhagen. ______
3. Vielleicht fährt er nach Wien. ______
4. Deutschland liegt mitten in Europa. ______
5. Viele Menschen fahren nach Paris. ______

Ein Zug in Deutschland

Seite 15	Aufgabe 1–2

1 Wie heißen die 8 Verben?

~~ar-~~ schla- woh- -sen ver- rei- ~~-ten~~ -ste- -ren -fen -nen
~~-bei-~~ ler- spie- fah- -len -nen -hen

arbeiten ______ ______ ______
______ ______ ______ ______

2 Was passt? Bitte kombinieren Sie.

1. nach Köln *fahren*
2. Karten ______
3. Urlaub ______
4. Deutsch ______
5. aus Australien ______
6. in Deutschland ______

~~fahren~~ machen arbeiten spielen lernen kommen

3 Ein Zug in Deutschland. Schreiben Sie Sätze.

Anna
Martin Miller
Lisa und Tobias

reist/reisen
lernt/lernen
kommt/kommen
spielt/spielen
arbeitet/arbeiten
fährt/fahren

Karten
in Deutschland
aus Polen
nach Italien
Deutsch
sehr viel

Anna lernt Deutsch.
______
______

4 Lesen Sie Seite 15, Aufgabe 1. Wer macht was?

Frau Mohr
- *wohnt in Berlin.*
- *reist sehr viel.*
- *fährt nach Brüssel.*

Anna und Thomas
- ______
- ______

Frau Schmidt
- ______
- ______
- ______
- ______

5 Personen: *er* oder *sie*? Bitte ergänzen Sie.

1. Marlene Steinmann fährt nach Köln. — *Sie* ist Fotografin.
2. Lisa und Tobias fahren nach Italien. — ____ spielen Karten.
3. Martin Miller reist sehr viel. — ____ ist Journalist.
4. Frau Schmidt kommt aus Dortmund. — ____ schläft.
5. Anna und Thomas fahren nach Süddeutschland. — ____ wohnen in Bremen.

Seite 16	Aufgabe 3–6

1 3. Person Singular oder Plural?

a) Was ist richtig? Markieren Sie bitte.

1. Wo arbeiten / (arbeitet) Martin Miller?
2. Lisa und Tobias spielen / spielt Karten.
3. Frau Mohr fahren / fährt heute nach Brüssel.
4. Anna und Thomas wohnen / wohnt in Bremen.
5. Marlene Steinmann ist / sind Fotografin.
6. Woher kommen / kommt Frau Schmidt?

b) Ergänzen Sie.

1. Wo mach*en* Frau Schmidt, Lisa und Tobias Urlaub? — In Italien.
2. Wo wohn____ Anna und Thomas? — In Bremen.
3. Wohin fähr____ Martin Miller heute? — Nach Köln.
4. Woher komm____ Anna? — Aus Polen.
5. Wo wohn____ Marlene Steinmann? — In Köln.
6. Wohin fahr____ Frau Schmidt, Lisa und Tobias? — Nach Italien.

2 Fragen Sie bitte: *Wer?*

1.	*Wer kommt aus Australien?*	Martin Miller kommt aus Australien.
2.	______________	Frau Mohr wohnt in Berlin.
3.	______________	Martin Miller und Marlene Steinmann arbeiten in Deutschland.
4.	______________	Frau Schmidt schläft.
5.	______________	Marlene Steinmann fährt nach Köln.
6.	______________	Frau Schmidt, Lisa und Tobias machen Urlaub.

3 *Wer?* Fragen und antworten Sie.

1.	(spielen)	Wer *spielt* ______ Karten?	Lisa und Tobias *spielen* ______ Karten.
2.	(schlafen)	Wer ______?	Frau Schmidt ______.
3.	(fahren)	Wer ______ nach Italien?	Frau Schmidt, Lisa und Tobias ______ nach Italien.
4.	(wohnen)	Wer ______ in Bremen?	Thomas und Anna ______ in Bremen.
5.	(reisen)	Wer ______ viel?	Martin Miller und Frau Mohr ______ viel.
6.	(lernen)	Wer ______ Deutsch?	Anna ______ Deutsch.

4 Bitte ergänzen Sie.

1. Marlene Steinmann f*ä*hr*t* nach Köln.
2. Frau Schmidt f__hr__ nach Italien. Sie mach__ Urlaub. Sie schl__f__.
3. Lisa und Tobias f__hr__ nach Italien. Sie schl__f__ nicht. Sie spiel__ Karten.
4. Martin Miller arbeit__ in Deutschland. Er reis__ viel. Heute f__hr__ er nach Köln.
5. Anna wohn__ in Bremen. Sie f__hr__ nach Süddeutschland.

5 Alles falsch?

a) Ergänzen Sie *nein* und *nicht*.

1.	Spielt Frau Schmidt Karten?	*Nein* ______, sie spielt *nicht* ______ Karten.
2.	Schlafen Lisa und Tobias?	______, sie schlafen ______.
3.	Kommt Martin Miller aus Belgien?	______, er kommt ______ aus Belgien.
4.	Wohnt Frau Mohr in Brüssel?	______, sie wohnt ______ in Brüssel.
5.	Kommen Anna und Thomas aus Italien?	______, sie kommen ______ aus Italien.
6.	Fährt Marlene Steinmann nach Bremen?	______, sie fährt ______ nach Bremen.

b) Antworten Sie mit *nein*.

1.	Sind Sie Frau Schmidt?	*Nein, ich bin nicht Frau Schmidt.*
2.	Kommen Sie aus Österreich?	______________
3.	Wohnen Sie in Leipzig?	______________
4.	Arbeiten Sie in Leipzig?	______________
5.	Fahren Sie nach China?	______________

1 Ein Dialog: Bitte ordnen Sie.

- [ ] Nein, wir kommen aus Bremen.
- [ ] Wir fahren nach München. Und wohin fährst du?
- [ ] Wir machen Urlaub.
- [ ] Ich fahre nach Köln. Kommt ihr aus München?
- [ ] Ah ja. Was macht ihr in München?
- [1] Wohin fahrt ihr?

2 Verbformen. Was ist richtig? Markieren Sie bitte.

1. Wohin fahren / (fahrt) / fährt ihr?
2. Wir ist / seid / sind aus Bremen.
3. Machen / Machst / Macht ihr Urlaub in Italien?
4. Woher kommen / kommst / kommt ihr denn?
5. Ich lerne / lernst / lernt Deutsch.
6. Verstehe / Verstehst / Versteht du schon ein bisschen?

3 Wie heißt das Lösungswort? Bitte ergänzen Sie.

(fahren) ich — F A H R E
(arbeiten) er
(machen) Lisa und Tobias
(wohnen) wir
(kommen) du
(lernen) Anna
(reisen) Anna und Thomas
(sein) du
(schlafen) ihr
(verstehen) ich

4 Sie verstehen nicht gut. Bitte fragen Sie.

1. Mein Name ist Rademacher. — *Wie bitte? Wie ist Ihr Name?*
2. Ich heiße Sonja. — ____________
3. Ich komme aus Rzeszów. — ____________
4. Wir wohnen in Wasserburg. — ____________
5. Wir fahren nach Mainz. — ____________

5 Bitte antworten Sie.

1. Fährst du nach Frankfurt? *Nein, ich fahre nach* __________ Berlin.
2. Kommen Sie aus Hannover, Herr Bauer? __________ Bremen.
3. Wohin fahrt ihr? __________ Österreich.
4. Woher kommt ihr? __________ Italien.
5. Woher kommen Sie? __________ Leipzig.
6. Was macht ihr in Berlin? __________ Urlaub.

6 Ergänzen Sie bitte.

1. *Er/Sie* ______ arbeitet in Deutschland.
2. Lernst __________ Deutsch?
3. Thomas und Anna, macht __________ in Süddeutschland Urlaub?
4. Und Sie, wie heißen __________?
5. Das sind Herr und Frau Hansen, __________ reisen sehr viel.
6. Fahrt __________ nach Moskau?
7. __________ heiße Philipp.

7 Pronomen und Verbformen. Markieren Sie bitte.

ich	du	er	sie	wir	ihr	sie	Sie	Verbform
X								komme
								machen
								fährst
								schlaft
								arbeitet
								reist

8 Was passt?

a) Kombinieren Sie.

Urlaub	reisen
in Moskau	arbeiten
Deutsch	machen
nach Japan	lernen
sehr viel	fahren

b) Schreiben Sie Sätze.

Wir machen Urlaub. Machst du auch Urlaub?

____

____

Auf Wiedersehen

Seite 18/19	Zahlen

1 Wort und Zahl

1. vierundzwanzig 24
2. dreißig ______
3. achtundneunzig ______
4. siebenundvierzig ______
5. sechzehn ______
6. einundfünfzig ______
7. siebenundsiebzig ______
8. dreiundsechzig ______

2 Bitte ordnen Sie die Zahlen.

1. zehn / neun / elf 9, 10, 11
2. vierzehn / zwölf / sechzehn ______
3. einunddreißig / neunundzwanzig / dreißig ______
4. achtzig / neunzig / siebzig ______
5. zweiundzwanzig / elf / dreiunddreißig ______

3 Schreiben Sie bitte die Telefonnummern.

1. zwei acht – drei eins – fünf vier
2. drei – zehn – zweiundachtzig – einundfünfzig
3. sechsunddreißig – zehn – null sechs – neunundzwanzig
4. null acht neun – sieben drei fünf – eins sieben – drei drei
5. null acht eins fünf zwei – acht drei – acht vier

1. 28 31 54
2. ______
3. ______
4. ______
5. ______

Seite 18/19	Aufgabe 1–3

1 Schreiben Sie richtig.

1. VielleichtkommtihreinmalnachKöln. Vielleicht kommt ihr einmal nach Köln.
2. MeineAdresseistSandhofstraßezwölf. ______
3. WieistdeineTelefonnummer? ______
4. HierdasistmeineKarte. ______
5. DannnochguteReise! ______

2 Eine Visitenkarte. Fragen Sie bitte.

3 Bitte kombinieren Sie.

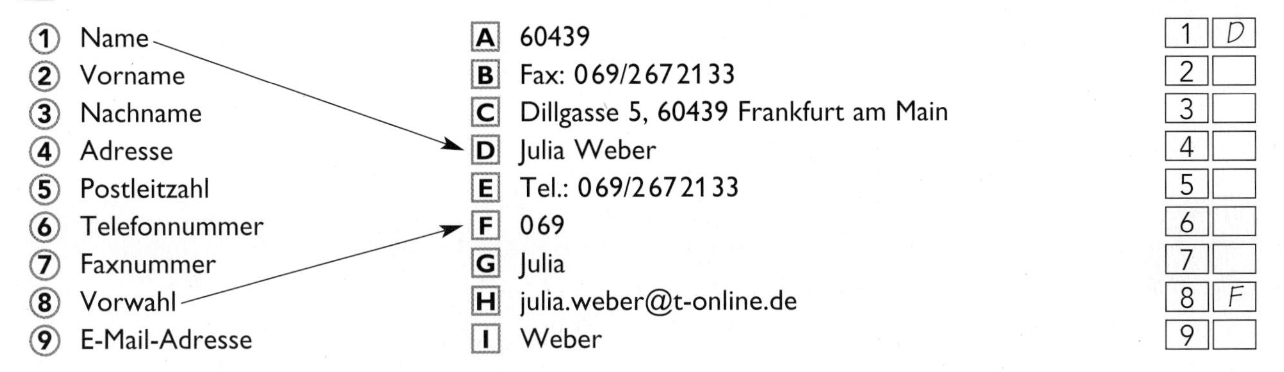

1	Name	A	60439	1	D
2	Vorname	B	Fax: 069/2672133	2	
3	Nachname	C	Dillgasse 5, 60439 Frankfurt am Main	3	
4	Adresse	D	Julia Weber	4	
5	Postleitzahl	E	Tel.: 069/2672133	5	
6	Telefonnummer	F	069	6	
7	Faxnummer	G	Julia	7	
8	Vorwahl	H	julia.weber@t-online.de	8	F
9	E-Mail-Adresse	I	Weber	9	

4 Die Visitenkarte. Ergänzen Sie.

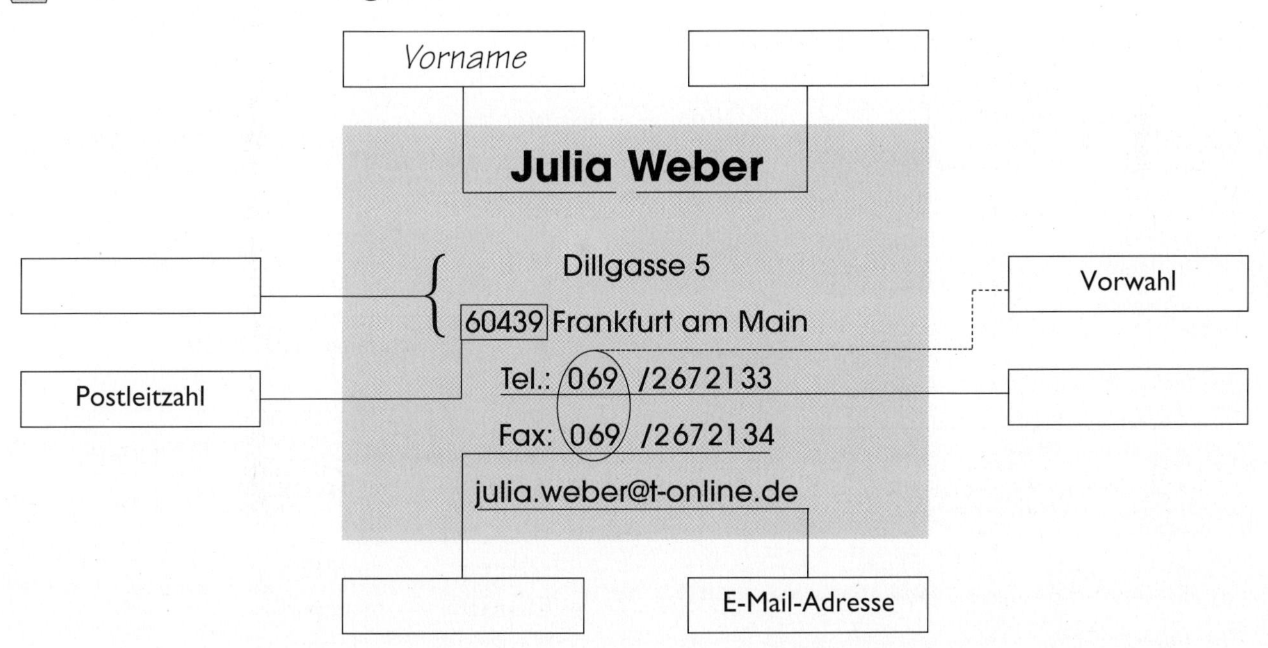

Im Deutschkurs

Seite 20	Aufgabe 1–4

1 Wie heißen die Verben? Kombinieren Sie.

lern-
nummer-
frag-
mark-
antwort-
buchstab-
ergänz-
kombin-

-en
-ieren

lernen
____
____
____
____
____
____
____

2 Was hören Sie im Deutschkurs?

Hören Sie bitte.

____

____

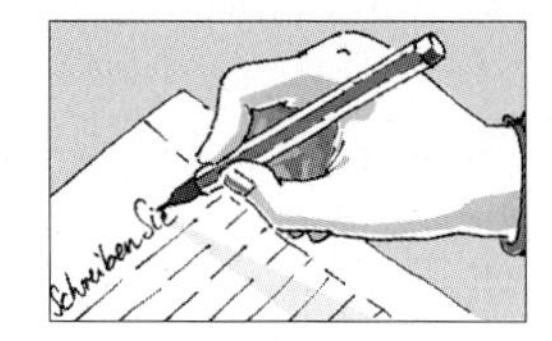

____

3 Imperative: Was passt? Schreiben Sie bitte.

~~nummerieren~~ markieren kombinieren antworten
ergänzen buchstabieren fragen

1. dreizehn [1]
   fünfzehn [3]
   vierzehn [2]

   Nummerieren Sie bitte.

2. S-a-n-d-h-o-f

   ____

3. Der Zug fährt ________ Berlin.

   ____

4. Wo wohnst du**?**

   ____

5. ▶ …? ◁ Ich fahre nach Italien.

   ____

6. Frau Schmidt machen / (macht) Urlaub.

   ____

7. Urlaub — spielen
   Deutsch — machen
   Karten — lernen

   ____

Seite 21	Grammatik: Verbposition

1 Aussagesätze. Ordnen Sie und schreiben Sie bitte.

1. ist / mein Name / Thomas Bauer /.
2. sehr viel / Frau Mohr / reist /.
3. liegt / Deutschland / mitten in Europa /.
4. Lisa und Tobias / Karten / spielen /.
5. Martin Miller / nach Berlin / fährt /.

	Position 2	
Mein Name	ist	Thomas Bauer.

2 Fragen. Ordnen Sie bitte und schreiben Sie.

a) W-Fragen

1. ihr / wohin / fahrt / ?
2. heißen / Sie / wie / ?
3. du / hier / machst / was / ?
4. Urlaub / wer / macht / ?

	Position 2	
Wohin	fahrt	ihr?

b) Ja-/Nein-Fragen

1. du / Deutsch/ lernst / ?
2. wohnen / Sie / in Berlin / ?
3. Frau Mohr / nach Brüssel / fährt / ?
4. aus Spanien / seid / ihr / ?

Position 1	
Lernst	du Deutsch?

3 Wo ist das Verb? Bitte schreiben Sie Sätze.

1. kommen / woher / Sie / ? Woher kommen Sie?
2. aus Frankfurt / Sie / kommen / ? ____________
3. Sie / Deutsch / ein bisschen / verstehen / ? ____________
4. fahre / nach Berlin / ich /. ____________
5. Sie / wohin / fahren / ? ____________
6. Urlaub / machen / in Polen / wir /. ____________

4 Imperativ. Schreiben Sie.

1. fragen
2. nummerieren
3. ordnen
4. buchstabieren
5. antworten

Position 1	
Fragen	Sie.

Lektion 2

Bilder aus Deutschland

Seite 22/23	Aufgabe 1

1 **Lesen Sie im Kursbuch Seite 22–23, Aufgabe 1 a. Richtig (r) oder falsch (f)?**

1. Von Rostock fahren viele Schiffe nach Dänemark. ____ ~~r~~ f
2. Im Ruhrgebiet sind viele Fabriken. ____ r f
3. Die Autobahnen im Ruhrgebiet sind immer voll. ____ r f
4. Der Hauptbahnhof von Köln ist nicht sehr groß. ____ r f
5. Der Platz im Zentrum von Köln heißt „Römer". ____ r f
6. Viele Häuser im Zentrum von Frankfurt sind sehr alt. ____ r f
7. Die Alpen liegen in Norddeutschland. ____ r f

2 **Wörter. Was passt?**

Eurocity ~~Menschen~~ Lastwagen Kirche ~~Restaurants~~ Zug Auto Rathaus

1. Platz: *Restaurants, Menschen*
2. Bahnhof: ____
3. Autobahn: ____
4. Gebäude: ____

3 **Was passt nicht?**

1. Hafen – ~~Telefon~~ – Schiff – Norddeutschland
2. Zug – Zitrone – Bahnhof – Eurocity
3. Lastwagen – Adresse – Bus – Auto
4. Fabrik – Kirche – Mensch – Rathaus
5. Frage – Dorf – Stadt – Region
6. Bier – Gebäude – Kaffee – Tee
7. Name – Restaurant – Telefonnummer – Adresse
8. Zitrone – Tomate – Berg – Banane

4 **Sätze. Bitte schreiben Sie richtig.**

1. dasisteinestadtindeutschlanddiestadtheißtfrankfurt
   Das ist eine ____
2. DASISTDERHAUPTBAHNHOFINKÖLNVIELEZÜGEFAHRENNACHKÖLN
   ____
3. dASisTeiNPLatZinfRANKfurTDASgEbäUdeRechtsIStdAsrAThaUS
   ____

Seite 23	Aufgabe 2

1 *ein/der, eine/die* oder *ein/das*? Ordnen Sie bitte.

Restaurant Hafen Gebäude Stadt Platz ~~Fabrik~~ Rathaus Lastwagen Region

ein/der	eine/die	ein/das
	Fabrik	

2 *ein* oder *eine*? Markieren Sie.

	ein	eine	
1.	X		das Auto
2.			die Weltkarte
3.			der Bus
4.			die Adresse
5.			das Haus
6.			der Zug
7.			das Produkt
8.			der Lastwagen

3 Die Schweiz – *der, die* oder *das*? Ergänzen Sie bitte.

Die Schweiz: Die Menschen hier sprechen vier Sprachen. 65 % (Prozent) im Norden und Osten sprechen Deutsch. In der Schweiz liegen viele Berge: die Alpen.

1. Im Nordwesten liegt *die* ________ Stadt Basel. Im Zentrum von Basel liegt ein Platz, der Marktplatz. ________ Gebäude rechts ist ________ Rathaus.
2. ________ Dorf Grindelwald liegt mitten in der Schweiz. Der Berg hier heißt Eiger. In Grindelwald machen viele Menschen Urlaub. ________ Region heißt Berner Oberland.
3. ________ Stadt Genf liegt im Westen. Im Zentrum von Genf liegt ________ Hauptbahnhof. Jeden Tag fahren viele Züge von Genf nach Frankreich.
4. Im Südosten liegt Bellinzona. Nach Italien sind es 10 km. ________ Autobahn E9 von Bellinzona nach Mailand ist immer voll.

4 Verben. Bitte ergänzen Sie.

1. Das Schiff kommt aus Norwegen. _Es_ _fährt_ nach Deutschland. (fahren)
2. Frau Baraldi wohnt in Bellinzona. ________ ________ Lucia. (heißen)
3. Der Bahnhof liegt im Zentrum von Genf. ________ ________ sehr groß. (sein)
4. Herr Fischer ist in Grindelwald. ________ ________ hier Urlaub. (machen)
5. Die Berge in Grindelwald sind die Alpen. ________ ________ in der Schweiz, in Österreich und in Deutschland. (liegen)

Seite 24/25	Aufgabe 3–8

1 *ein, eine, ein – der, die, das.* Was ist das?

1. Das ist _eine_ Kirche. _Die_ Kirche heißt Paulskirche.
2. Das ist ________ Lastwagen. ________ Lastwagen kommt aus Italien.
3. Das ist ________ Restaurant. ________ Restaurant liegt im Zentrum von Rostock.
4. Das ist ________ Autobahn. ________ Autobahn ist voll.
5. Das ist ________ Rathaus. ________ Rathaus heißt „Römer".

2 *ein, eine, ein – der, die, das.* Was ist wie?

1. Schiff, groß: _Das ist ein Schiff. Das Schiff ist groß._
2. Bus, voll: ________________
3. Kirche, alt: ________________
4. Restaurant, gut: ________________
5. Zug, lang: ________________

3 Singular und Plural. Bitte ergänzen Sie.

a)	Singular	Plural
1.	Café	_Cafés_
2.	Auto	________
3.	Lastwagen	________
4.	Stadt	________
5.	Haus	________
6.	Dorf	________

b)	Singular	Plural
1.	_Schiff_	Schiffe
2.	________	Berge
3.	________	Züge
4.	________	Straßen
5.	________	Autobahnen
6.	________	Restaurants

4 Was ist Singular, was ist Plural? Bitte ordnen Sie.

~~Häuser~~ ~~Bus~~ Dörfer Zug Auto Kirchen Stadt Plätze

Singular	Plural
Bus,	_Häuser,_

5 Singular oder Plural? Markieren Sie.

		Singular	Plural
1.	Telefonnummern	☐	☒
2.	Fotoapparate	☐	☐
3.	Urlaub	☐	☐
4.	Banane	☐	☐
5.	Adressen	☐	☐
6.	Beispiele	☐	☐
7.	Mensch	☐	☐
8.	Welt	☐	☐

6 Der Plural. Bitte ordnen Sie.

Berge Dörfer Autobahnen Regionen Lastwagen Plätze Städte Restaurants Kirchen Bahnhöfe Straßen

-e	-(e)n	-er	–	-s
Schiffe,	*Fabriken,*	*Rathäuser,*	*Gebäude,*	*Autos,*

7 Bitte schreiben Sie Sätze.

1 aus Frankfurt kommen

2 nach Italien fahren

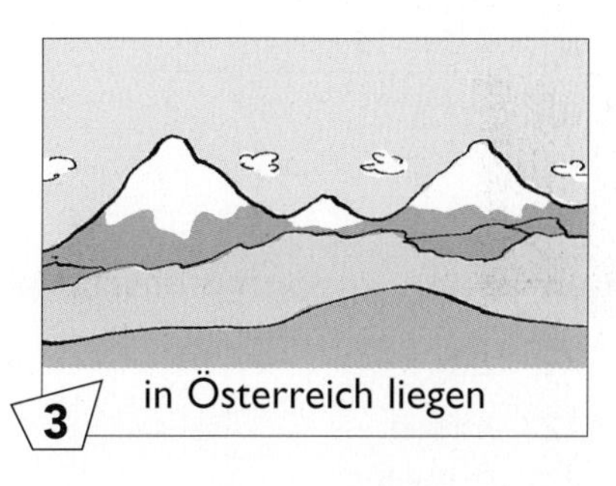
3 in Österreich liegen

4 aus Spanien kommen

5 im Ruhrgebiet liegen

6 in Köln sein

1. *Das sind Autos. Die Autos kommen aus Frankfurt.*
2. ____________________
3. ____________________
4. ____________________
5. ____________________
6. ____________________

Eine Stadt, ein Dorf

Seite 26	Aufgabe 1

1 Lesen Sie im Kursbuch Seite 26, Aufgabe 1. Was passt?

1.	Das Café	trinkt	nicht.
2.	Die Frauen	essen	Kaffee.
3.	Anna Brandner	wartet	Schokoladentorte.
4.	Die Kinder	kommt	schon 20 Minuten.
5.	Ein Mann	ist	Fußball.
6.	Der Bus	spielen	sehr voll.

1. *Das Café ist sehr voll.*
2. ______
3. ______
4. ______
5. ______
6. ______

2 Bitte kombinieren Sie.

①	Auto	A	sprechen	1 *D*
②	Kaffee	B	warten	2
③	Fußball	C	machen	3
④	Urlaub	D	fahren	4
⑤	Torte	E	kommen	5
⑥	20 Minuten	F	essen	6
⑦	Deutsch	G	trinken	7
⑧	aus Frankfurt	H	spielen	8

3 Was passt?

1. trinken: *Bier, Tee*
2. essen: ______
3. fahren: ______
4. spielen: ______
5. sein: ______

~~Tee~~ Journalist
Fußball Zug Tomaten
Bus Karten ~~Bier~~
Zitroneneis Fotografin

4 Verben. Was ist richtig?

1. Frau Brandner und Frau Preisinger (kommen) / kommt aus Süddeutschland.
2. Frau Brandner trinken / trinkt Eiskaffee.
3. Die Kinder spielen / spielt Karten.
4. Der Mann und die Frau warten / wartet schon 15 Minuten.
5. Die Autobahn: Hier fahren / fährt viele Lastwagen.
6. Der Euro-City ist / sind sehr voll.

5 Bitte ergänzen Sie.

10 Minuten spielen Bus Café nicht viele ~~im Zentrum~~ trinkt jeden Tag

1. Ein Platz *im Zentrum* von Frankfurt.
2. Frau Goldberg ist im __________ Heller.
3. Sie ist __________ hier.
4. Sie __________ Tee.
5. Ein Mann wartet schon __________.
6. Der __________ kommt nicht.
7. Zwei Kinder __________ Fußball.
8. Hier fahren __________ Autos.

6 *ein – der – er*... Ergänzen Sie bitte.

1. Das ist *ein* Mann. *Der* Mann wartet im Café. *Er* trinkt Kaffee.
2. Das ist __________ Frau. __________ Frau wartet nicht. __________ schläft.
3. Das sind __________ Kinder. __________ Kinder sind noch klein. __________ spielen Fußball.
4. Das ist __________ Bus. __________ Bus kommt aus Budapest. __________ fährt nach Berlin.
5. Hier kommt __________ Auto. __________ Auto fährt langsam. __________ ist alt.
6. Da kommt __________ Zug. __________ Zug fährt nach Köln. Dann fährt __________ nach Bonn.

7 Sie hören nicht gut.

1. Das ist Frau Bellini. – *Wie bitte, wer ist das?* – Frau Bellini.
2. Sie heißt Anna Bellini. – *Wie bitte,* __________ – Anna Bellini.
3. Sie kommt aus Mailand. – __________ – Aus Mailand.
4. Mailand liegt in Italien. – __________ – In Italien.
5. Sie fährt nach Köln. – __________ – Nach Köln.
6. In Köln sind viele Museen. – __________ – Viele Museen.

8 Bilder und Sätze. Bitte ordnen und schreiben Sie.

~~Die Kinder spielen Fußball.~~ Der Zug kommt nicht.

Die Straße ist der Fußballplatz. Sie wartet schon 20 Minuten.

~~Hier sind viele Menschen: Der Bahnhof ist voll.~~ Das Café ist im Zentrum.

Sie essen Torte. Eine Frau wartet. Sie spielen jeden Tag hier.

Der Mann trinkt Kaffee, die Frau trinkt Tee. Hier fahren nicht viele Autos.

~~Eine Frau und ein Mann sind im Café.~~

Ein Bahnhof

Hier sind viele Menschen: Der Bahnhof ist voll.

Ein Café

Eine Frau und ein Mann sind im Café.

Eine Straße

Die Kinder spielen Fußball.

Seite 27	Aufgabe 2–4

1 Wie ist ...? Bitte markieren Sie.

1. Herr Bachmann ist 95. Er ist ☐ lang ☒ alt ☐ groß.
2. Die Reise ist ☐ kalt ☐ leer ☐ lang.
3. Die Liste ist ☐ heiß ☐ kurz ☐ langsam.
4. Das Land ist ☐ klein ☐ schnell ☐ kurz.
5. Der Urlaub ist ☐ langsam ☐ lang ☐ leer.
6. Die Schokolade ist ☐ voll ☐ schnell ☐ gut.

2 Was sagen die Leute im Café Exquisit? Finden Sie die Sätze.

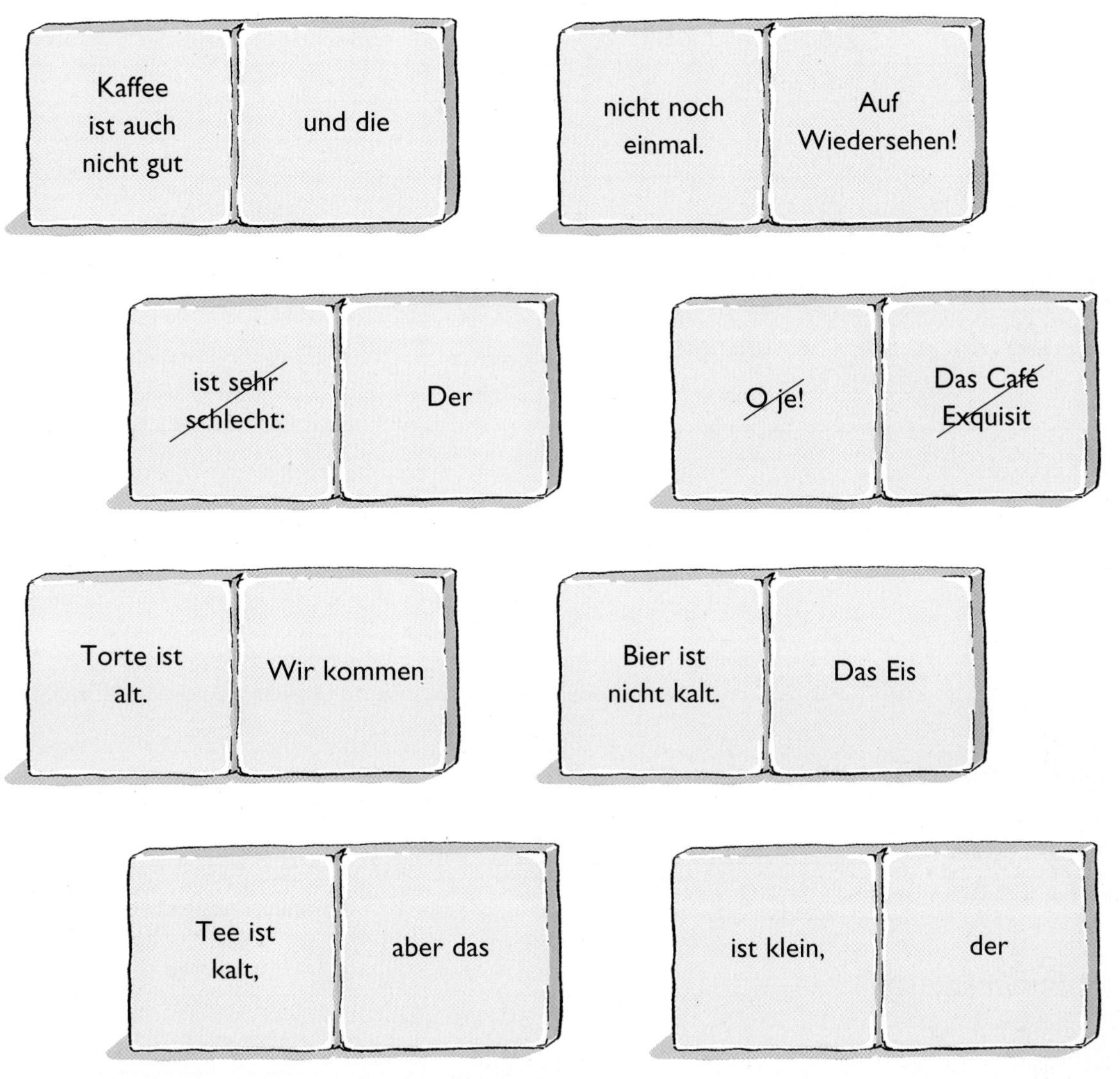

O je! Das Café Exquisit ist sehr schlecht:

____

____

3 *Nicht kalt – heiß.* Bitte schreiben Sie.

langsam	voll	gut	rechts	~~heiß~~	klein	kurz

1. ▶ Der Kaffee ist kalt. ◁ *Nein, der Kaffee ist nicht kalt!* *Er ist heiß.*
2. ▶ Der Mann ist groß. ◁ *Nein,* ______________________! ________
3. ▶ Das Bier ist schlecht. ◁ *Nein,* ______________________! ________
4. ▶ Der Bus ist schnell. ◁ *Nein,* ______________________! ________
5. ▶ Der Zug ist lang. ◁ *Nein,* ______________________! ________
6. ▶ Die Kirche ist links. ◁ *Nein,* ______________________! ________

4 Was ist wie?

	groß	klein	gut	schlecht	langsam	schnell
1. die Weltkarte	+		+			
2. das Bananeneis		+		+		
3. das Hotel	+			+		
4. der Lastwagen	+				+	
5. das Geschäft	+		+			
6. der Computer		+	+			+

1. *Die Weltkarte ist groß und gut.*
2. ____________________
3. ____________________
4. ____________________
5. ____________________
6. ____________________

Seite 27 | Aufgabe 5

1 Was ist hier falsch? Schreiben Sie richtig.

~~Fußball~~ / stadt   Eis / zug   Schokoladen / ~~platz~~   Schnell / torte   Groß / kaffee

1. *der Fußballplatz* 2. __________ 3. __________ 4. __________ 5. __________

2 Was ist das? Kombinieren Sie.

1 + 2 = *der Eiskaffee*

7 + 8 = ____________________

3 + 4 = ____________________

9 + 10 = ____________________

5 + 6 = ____________________

11 + 12 = ____________________

Die Stadt Frankfurt

Seite 28	Aufgabe 1–2

Lesen Sie im Kursbuch Seite 28, Aufgabe 1. Ergänzen Sie dann die Sätze.

Kino, kein Kaufhaus und kein Museum. ist ganz nah. ~~im Zentrum von Frankfurt.~~
Menschen. Auto und kein Bus. arbeiten nicht hier, sie arbeiten im Zentrum.
viele Theater, Hotels, Restaurants und Kinos. ~~ist Frankfurt:~~ gehen zu Fuß.

Die Straße „Zeil" liegt *im Zentrum von Frankfurt.* __________
Hier fährt kein __________
Hier sind nur Geschäfte, Kaufhäuser und viele __________
Und alle __________
Im Zentrum von Frankfurt sind auch __________
____
Die Paulskirche, das Rathaus, der Main und die Museen: alles __________
____

Auch das *ist Frankfurt:* __________
Wohnhäuser, Supermärkte und viele Autos – aber kein __________
____
Viele Menschen wohnen am Stadtrand, aber sie __________
____

Seite 28/29	Aufgabe 3–5

Bitte ordnen Sie.

~~Menschen~~ Züge Banken ~~das Wohnhaus~~ die Fotografin der Bus
Geschäfte die Schule Frauen ~~das Auto~~ Männer das Schiff
der Journalist der Supermarkt der Lastwagen

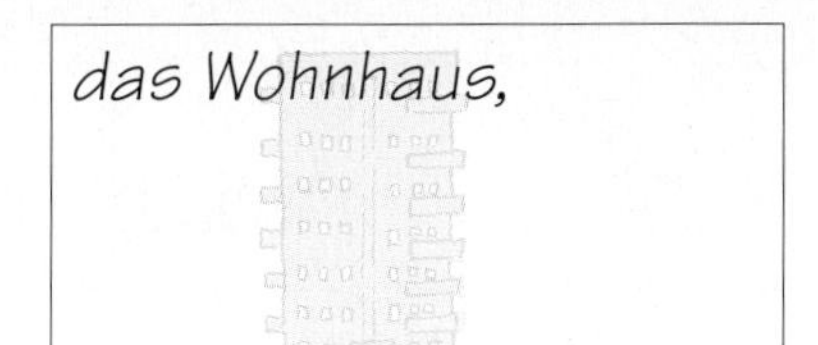

2 Wo? Bitte verbinden Sie.

① schlafen	A Wohnhaus	1	D
② lernen	B Straße	2	
③ arbeiten	C Schule	3	
④ fahren	D Hotel	4	
⑤ wohnen	E Restaurant	5	
⑥ essen	F Fabrik	6	

3 *Kein Schiff, kein Hafen …* Was sagt der Mann?

Kein Schiff, kein Hafen, kein …

~~Schiff~~ Geschäfte
Bank Museum Post
Hotels Schule ~~Hafen~~
Restaurant Kaufhaus

Kein Schiff, kein Hafen, keine ______________________

____

4 *kein, keine* – was ist richtig?

1 eine Fabrik
2 ein Auto
3 ein Fotoapparat
4 eine Kirche
5 Zitronen
6 ein Computer
7 ein Haus
8 Bananen

1 *Das ist keine Fabrik. Das sind Bananen.*
2 ______________________
3 ______________________
4 ______________________
5 ______________________
6 ______________________
7 ______________________
8 ______________________

5 Nein, nein, nein! Bitte antworten Sie.

a) *kein*

1. Ist hier ein Restaurant? *Nein, hier ist kein Restaurant.* ______
2. Sind hier Hotels? ______
3. Ist das ein Museum? ______
4. Ist hier eine Bank? ______
5. Sind das Wohnhäuser? ______
6. Ist Frankfurt eine Kleinstadt? ______

b) *nicht*

1. Spielt ihr? *Nein, wir spielen nicht.* ______
2. Schlafen Sie? ______
3. Fährt der Zug nach Bonn? ______
4. Ist der Urlaub lang? ______
5. Wohnst du in Österreich? ______
6. Liegt Rostock in Süddeutschland? ______

c) *nicht* oder *kein?*

1. Warten Sie? *Nein, ich* ______
2. Kommt der Bus? ______
3. Ist hier ein Geschäft? ______
4. Arbeitet ihr? ______
5. Ist das Auto schnell? ______
6. Ist das eine Schule? ______

6 Wie heißt die Negation?

1.	Supermärkte	≠	*keine*	Supermärkte
2.	arbeiten	≠	*nicht*	arbeiten
3.	kalt	≠	*nicht*	kalt
4.	ein Kaufhaus	≠	______	Kaufhaus
5.	voll	≠	______	voll
6.	eine Bank	≠	______	Bank
7.	wohnen	≠	______	wohnen
8.	fahren	≠	______	fahren
9.	Wohnhäuser	≠	______	Wohnhäuser
10.	nah	≠	______	nah

In Köln

Seite 30	Aufgabe 1

Was sagt Herr Schneider?

Nervös? Warum?
~~Ach, guten Tag, Frau~~ Steinmann.
Kein Problem! Ich habe ein Auto.
Kommen Sie, mein Auto ist hier.
Na, wie geht's?

Herr Schneider	1. *Ach, guten Tag, Frau Steinmann.*
Frau Steinmann	Hallo, Herr Schneider.
Herr Schneider	2. ______
Frau Steinmann	Nicht so gut. Ich bin ganz nervös.
Herr Schneider	3. ______
Frau Steinmann	Ich warte und warte, aber das Taxi kommt nicht.
Herr Schneider	4. ______
Frau Steinmann	Ach ja?
Herr Schneider	5. ______
Frau Steinmann	Das ist sehr nett. Vielen Dank!

2 Eine Antwort passt nicht.

1. Guten Tag.
   - A Hallo.
   - B Guten Tag.
   - C ~~Nicht so gut~~.

2. Na, wie geht's?
   - A Es geht.
   - B Ich gehe jetzt.
   - C Gut.

3. Nervös? Warum?
   - A Ich gehe zu Fuß.
   - B Das Taxi kommt nicht.
   - C Ich warte schon 10 Minuten.

4. Kommen Sie, mein Auto ist hier.
   - A Das ist sehr nett.
   - B Gute Reise.
   - C Vielen Dank!

Seite 30/31	Zahlen

Zahlen. Lesen Sie.

1. 1002
2. 103
3. 483
4. 21566
5. 770
6. 8490
7. 960000
8. 3513

2 Zahlen. Schreiben Sie.

1. siebenhundertsiebenundfünfzig 757
2. zweihundertsiebzig ______
3. dreitausendfünfhundertdreizehn ______
4. neunhundertsechzigtausend ______
5. tausendachthundertfünfundneunzig ______
6. einundzwanzigtausendfünfhundertsechsundsechzig ______
7. achthundertdreiunddreißig ______
8. vierhundertdreiundachtzig ______

3 Was passt?

① 43 208	A	dreihunderteinundsiebzig	1	D
② 860 012	B	dreiundfünfzigtausendneunhundertneunzig	2	
③ 317	C	vierunddreißigtausendzweihundertachtzig	3	
④ 34 280	D	dreiundvierzigtausendzweihundertacht	4	
⑤ 53 990	E	dreihundertsiebzehn	5	
⑥ 371	F	achthundertsechzigtausendzwölf	6	

4 Ordnen Sie bitte.

1. zweitausenddreihunderteinundachtzig
2. vierhundertelf
3. dreiundfünfzigtausendachthundert
4. ~~neunzehn~~
5. zweitausenddreihundertachtzehn
6. dreihundertsiebzigtausendvierhundertzwölf

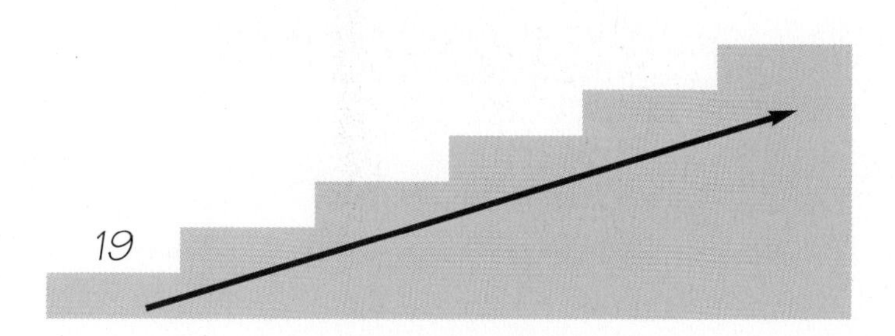

5 Ordnen Sie auch hier.

1. [2] siebzigtausenddreihundertzwei — [1] siebzehntausendvierhundertfünf
2. [ ] zwölftausendeinhundertelf — [ ] zwölftausenddreißig
3. [ ] hundertachtzehn — [ ] hunderteinundachtzig
4. [ ] dreihundertsiebenundsechzig — [ ] dreihundertsechsundsiebzig
5. [ ] vierhunderttausendacht — [ ] vierzigtausendacht

Wie hoch? Wie alt? Wie viele? Fragen und antworten Sie.

1

Herr Bachmann, 95 Jahre

Wie alt __________ ist Herr Bachmann?
Er ist 95 Jahre alt.

4

114 Menschen

__________ Menschen wohnen hier?
Hier __________________________

2

Österreich, 8 140 000 Menschen

__________ Menschen wohnen hier?
Hier __________________________

5

TRANS
3 m

3 m

__________ ist der Lastwagen?
____

3

161 m

__________ ist die Kirche?
____

6

**1950*

__________ ist das Auto?
____

2 *Wer? Was?* Fragen Sie bitte.

1. Marlene Steinmann kommt aus Köln. – Wer __________ kommt aus Köln? – Marlene Steinmann.
2. Das Schiff kommt aus Polen. – Was __________ kommt aus Polen? – Das Schiff.
3. Martin Miller ist Journalist. – __________ ist Journalist? – Martin Miller.
4. Köln ist sehr groß. – __________ ist sehr groß? – Köln.
5. Im Zentrum von Köln arbeiten viele Menschen. – __________ arbeitet im Zentrum von Köln? – Viele Menschen.
6. Der Kölner Dom ist sehr hoch. – __________ ist sehr hoch? – Der Kölner Dom.
7. Hier kommt der Bus. – __________ kommt hier? Der Bus.
8. Frau Steinmann ist nervös. – __________ ist nervös? Frau Steinmann.

Im Deutschkurs

Seite 32	Aufgabe 1–3

1 Was passt?

Blatt Papier ~~Seite~~ Wörter Buch Heft Kugelschreiber
Grammatik Bleistift ~~Text~~

1. lesen: *Text* ___ *Seite* ___ ___
2. lernen: ___ ___
3. schreiben: ___ ___ ___ ___

2 Das Wort im Wort.

1. L E S E N *es* ___
2. B E R G ___
3. L I S T E ___
4. K L E I N ___
5. K I N D ___
6. R E I S E ___
7. A N T W O R T E N ___
8. B U C H S T A B I E R E N

___, ___

Seite 33	Grammatik

1 Ordnen Sie bitte.

wiederholen schlecht der Radiergummi nah das Bild ~~trinken~~ ~~nervös~~ glauben
gehen ~~der Kugelschreiber~~ die Schule wissen falsch das Papier richtig

Nomen	Adjektive	Verben
der Kugelschreiber	*nervös*	*trinken*

2 *wissen* und *warten*. Ergänzen Sie.

1. ▶ Wohin fährt der Bus? *Wissen* ___ Sie das? ◁ Nein, das ___ ich leider nicht.
2. ▶ Kommst du jetzt? ◁ Nein, ich ___ noch fünf Minuten hier.
3. ▶ Warum ist Lisa nicht hier? ___ du das?
4. ▶ Schlaft ihr? ◁ Nein, wir ___. Die Fotografin kommt nicht.
5. ▶ Heute ist kein Deutschkurs. ___ ihr das nicht? ◁ Nein, das ___ wir nicht.
6. ▶ Wo macht Herr Schreiber Urlaub? ◁ Das ___ er noch nicht.

Lektion 3

Meine Familie und ich

Seite 34/35	Aufgabe 1–3

1 Bitte ergänzen Sie.

mitmachen fantastisch ~~Kandidatin~~ Jahre Hausfrau Vorname Beruf

Frau Mainka ist *Kandidatin* für die Show „Meine Familie und ich". Sie findet die Show ________ und möchte gern ________. Ihr ________ ist Irene.
Sie ist 34 ________ alt. Von ________ ist sie Krankenschwester, aber im Moment ist sie ________.

2 Ein Dialog: Ordnen Sie.

- [1] Wie ist Ihr Name, bitte?
- [ ] Ich bin Journalist.
- [ ] Und wie ist Ihr Vorname?
- [ ] Ist das Ihr Vorname?
- [ ] Also: Michael Karl. Wie alt sind Sie, Herr Karl?
- [ ] Nein, das ist mein Familienname.
- [2] Karl.
- [ ] 45 Jahre.
- [ ] Michael.
- [ ] Und was sind Sie von Beruf?

3 Bitte fragen Sie.

1. *Wie ist Ihr Name?* — Mein Name ist Markus Baumann.
2. ________ — Ich bin 28.
3. ________ — Journalist.
4. ________ — Ich komme aus Deutschland.
5. ________ — In Salzburg.

Seite 36/37	Aufgabe 4–6

1 Anders gesagt: Wie können Sie auch fragen?

① Wie ist Ihr Familienstand?	A Wo wohnen Sie?	1	D
② Wie heißen Sie?	B Woher sind Sie?	2	
③ Wie ist Ihre Adresse?	C Wie ist Ihr Name?	3	
④ Woher kommen Sie?	D Sind Sie verheiratet?	4	

2 Wer hat ein Foto? Bitte ergänzen Sie.

Wer hat ein Foto?

Ich	habe	kein Foto.
________	hast	kein Foto.
Er	________	kein Foto.
Sie	________	kein Foto.
Das Kind	________	auch kein Foto.
________	haben	kein Foto.
Ihr	habt	kein Foto.
Sie	________	kein Foto. Leider.

3 Schreiben Sie bitte Sätze.

Philipp **ich** **wir** **Herr und Frau Berger** **Maria**

haben **habe** **hat**

drei Kinder **kein Foto** **kein Geld** **eine Frage** **ein Haus in Österreich**

Philipp hat kein Geld.

____

____

____

4 *haben* oder *sein*?

1. Martin Miller *ist* ________ Journalist von Beruf. Er ________ aus Australien.
2. Wir ________ verheiratet und ________ drei Kinder. Sie ________ zwölf, acht und vier Jahre alt.
3. ________ ich hier richtig? ________ hier das Büro von Frau Schnell?
4. Wie alt ________ du? 18?
5. ________ Sie vielleicht ein Foto?
6. Wie ________ Ihr Name? Und was ________ Sie von Beruf?

5 *haben*, *sein* oder *heißen*. Was passt?

Herr Hauser und sein Sohn möchten auch bei „Meine Familie und ich“ mitmachen.

Frau Schnell	*Sind* ____ Sie verheiratet, Herr Hauser?
Herr Hauser	Ja. Meine Frau ____ Rita Hauser.
Frau Schnell	____ Sie Kinder?
Herr Hauser	Ja, drei. Sie ____ Thomas, Sarah und Lukas. Leider ____ ich kein Foto.
Frau Schnell	____ du vielleicht ein Foto, Thomas?
Thomas	Ja, natürlich. Ich ____ zwei Fotos. Hier ____ meine Mutter und hier ____ wir Kinder.
Frau Schnell	Wie alt ____ ihr, Thomas?
Thomas	Sarah ____ 14, ich ____ 12 und Lukas ____ 5 Jahre alt.

Seite 37	Aufgabe 7–9

1 Bitte fragen Sie.

Sie	du	Antwort
1. *Wie heißen Sie?*	*Wie heißt du?*	Marion Herder.
2.		Fotografin.
3.		Ja, drei.
4.		5, 7 und 10 Jahre alt.
5.		In Hamburg.
6.		040/7145990.

2 *mein(e)* und *dein(e)*? Bitte ergänzen Sie.

▶ Hier, das ist *meine* ______ Familie.
◁ Ja, ______ Familie …
▶ Links ______ Frau,
◁ Aha, ______ Frau,
▶ rechts ______ drei Kinder,
◁ nett, ______ Kinder.
▶ ______ Sohn Sebastian …
◁ Oh, ______ Sohn ist ja schon groß!
▶ und ______ Töchter Maria und Anna.
◁ Sehr hübsch, ______ Töchter.
▶ Das ist ______ Haus,
◁ ______ Haus? Sehr schön!
▶ und das ist ______ Auto.
◁ ______ Auto! Fantastisch! Du hast alles!

3 *mein(e)*, *dein(e)*, *Ihr(e)*? Was passt?

1. Herr Mainka: „*Mein* ______ Name ist Klaus Mainka. Das ist ______ Frau Irene und das sind ______ Kinder. ______ Sohn heißt Stefan und ______ Tochter heißt Beate."
2. Herr Mainka und Herr Hauser: „Wie ist ______ Name? Wie alt sind ______ Kinder? Ist ______ Tochter verheiratet? Wie heißt ______ Sohn? Wie ist ______ Adresse?"
3. Herr Mainka und sein Sohn: „Wo ist ______ Fotoapparat? Ist das ______ Foto? Sind das ______ Bananen? Wo sind ______ Kugelschreiber und ______ Bleistift? Ist das ______ Schokolade?"
4. Frau Schnell und die Kandidaten: „Sind das ______ Fotos, Herr Hauser? Stefan, wo ist ______ Familie? Herr Hauser, ist das ______ Kugelschreiber? Wo ist ______ Tochter? Stefan, ist das ______ Fotoapparat?"

4 *mein(e)*, *dein(e)*, *ihr(e)*? Bitte ergänzen Sie.

Frau König: Wie heißt du?
Sarah: *Mein* ______ Name ist Sarah.
Frau König: Und wie ist ______ Familienname?
Sarah: Hauser. Und wie ist ______ Name?
Frau König: ______ Name ist Erna König. Wo wohnst du?
Sarah: In Hamburg.
Frau König: Ich wohne auch in Hamburg. Wie ist ______ Adresse?
Sarah: ______ Adresse ist Holstenstraße 7. Und ______ Adresse?
Frau König: Auch Holstenstraße. Aber 138.

Die Hobbys von Frau Mainka

Seite 38	Aufgabe 1–4

1 Was sind Hobbys? Ordnen Sie bitte zu.

~~reisen~~ Karten spielen lesen warten Tennis spielen Musik hören aus Berlin kommen singen in Deutschland wohnen

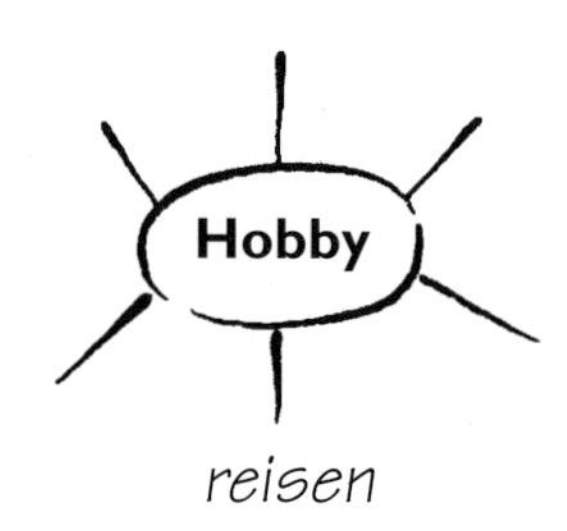

reisen

2 Was passt zusammen?

Tennis	essen
Urlaub	hören
Musik	fahren
Grammatik	spielen
ins Kino	machen
Zug	gehen
Torte	lernen

3 Was machen Sie gern? Was machen Sie nicht gern?

~~Auto fahren~~ lesen joggen Eis essen Musik hören

	☺		☹
1.	*Ich fahre gern Auto.*	ODER	*Ich fahre nicht gern Auto.*
2.	______________		______________
3.	______________		______________
4.	______________		______________
5.	______________		______________

4 Wer macht was (nicht) gern?

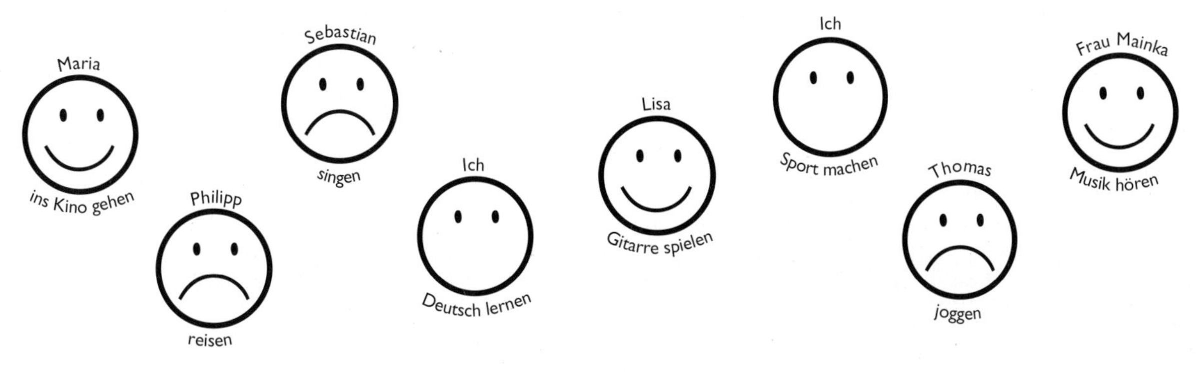

Maria geht gern ins Kino. ______

5 Häufigkeiten

a) Bitte ordnen Sie.

oft	manchmal	immer	nie	selten

immer, ______

b) Was machen Sie *immer* – *nie*? Schreiben Sie.

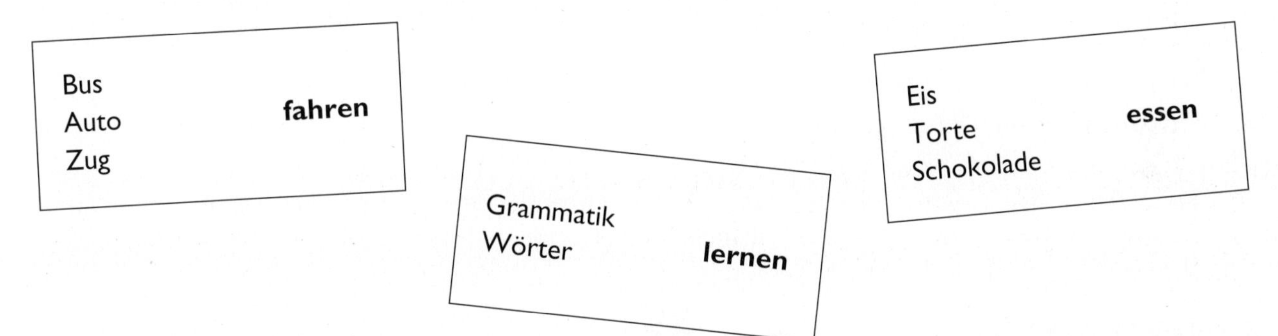

Ich fahre oft Zug. ______

6 Ein Dialog

a) Lesen Sie.

Boris: Und was sind deine Hobbys?

Tina: Meine Hobbys? Tja, also meine Hobbys sind Tennis spielen und joggen.

Boris: Du machst aber viel Sport! Ich bin leider ziemlich unsportlich … Ich mache nie Sport! Und Musik? Spielst du vielleicht Gitarre? Oder singst du?

Tina: Nein, nein, ich singe nicht. Aber ich höre gern Musik, gehe manchmal ins Kino …

Boris: Ah, schön! Gehen wir mal ins Kino?

Tina: Oh … Ich verstehe aber nicht viel! Mein Deutsch ist nicht so gut!

Boris: Na ja … Du verstehst aber ein bisschen! Wir gehen ins Kino und du lernst dann sehr schnell Deutsch!

Tina: Hm, gut. Gehen wir heute? Oder vielleicht am Montag?

Boris: Montag ist gut. Um 20 Uhr?

b) Richtig (r) oder falsch (f)? Markieren Sie bitte.

1. Tina spielt gern Tennis. ______ ~~r~~ f
2. Boris macht oft Sport. ______ r f
3. Tina singt gern. ______ r f
4. Tina versteht nicht so gut Deutsch. ______ r f
5. Boris und Tina gehen am Montag ins Kino. ______ r f

Das Formular

Seite 39	Aufgabe 1

1 Marion Herder. Was ist was?

A- Al- Be- -by -dres- -en- Fa- ~~-fon-~~ Hob- ~~-le-~~ -li- -me -me ~~-mer~~ -mi- -na- -na- ~~-num-~~ Ort -ruf -se ~~Te-~~ -ter Vor-

1. **040/7145990** ist ihre …
2. **Lesen** ist ihr …
3. **Holstenstraße 7, 22767 Hamburg,** ist ihre …
4. **Herder** ist ihr …
5. Sie ist **Fotografin** von …
6. **38 Jahre** ist ihr …
7. **Marion** ist ihr …
8. **Hamburg** ist ein … in Deutschland.

2 **Bitte füllen Sie das Formular aus.**

Compu-Partner GmbH
Computerkurse mit Niveau
Ernst-Toller-Straße 47a

01257 Dresden

Kursangebot

Urlaubs-Turbo II: Fit in Excel in 10 Tagen

vom 19. 09. bis 30. 09.
9.30 Uhr bis 11.00 Uhr

Familienname: ______________________________

Vorname: ______________________________

Straße: ______________________________

Postleitzahl (PLZ): ______________ Ort: ______________

Telefon: ______________________________

Fax: ______________________________

E-Mail: ______________________________

Alter: ______________________________

Beruf: ______________________________

Familienstand: ______________________________

Montag, 9 Uhr, Studio 21

Seite 40	Aufgabe 1

1 Wie viel Uhr ist es? Bitte schreiben Sie die Uhrzeiten.

18:45 | 23:00 | 14:35 | 17:40 | 08:51 | 01:23 | 20:08 | 06:10

1. *Es ist achtzehn Uhr fünfundvierzig.*
2. ______________________
3. ______________________
4. ______________________
5. ______________________
6. ______________________
7. ______________________
8. ______________________

2 Wer macht was um wie viel Uhr? Schreiben Sie Sätze.

1. 9.00 / der Produzent und die Fotografin / schon warten
   Um neun Uhr warten der Produzent und die Fotografin schon.
2. 9.45 / Frau Schnell / kommen
   ____
3. 10.00 / das Casting / anfangen
   ____
4. 12.00 / Pause / sein
   ____
5. 13.55 / Herr und Frau Franke / dran sein
   ____

Seite 40	Aufgabe 2–3

1 Wie heißt das Verb?

1. Frau Mainka füllt das Formular aus. *ausfüllen*
2. Wann findet das Casting statt? ______________
3. Tom spielt auch mit. ______________
4. Bitte fangen Sie jetzt an! ______________
5. Machst du am Montag mit? ______________
6. Herr Wunderlich ist auch da. ______________

2 Was fehlt?

1. Wir fangen pünktlich um zehn Uhr *an* ______.
2. Wir spielen jetzt Karten. Spielt ihr ______?
3. Sie sind jetzt noch nicht ______.
4. Bitte füllen Sie das Formular ______.
5. Eine Fernsehsendung? Da mache ich nicht ______.
6. Heute findet kein Deutschkurs ______.

aus **dran** **mit** **statt** **mit** ~~**an**~~

3 Trennbar oder nicht?

~~**ausfüllen**~~ **singen** **mitmachen** **anfangen** **fragen** **warten** **arbeiten** **stattfinden**

a) Bitte sortieren Sie die Verben.

Trennbare Verben	Nicht trennbare Verben
ausfüllen	

b) Ergänzen Sie bitte die Verben.

Heute *findet* ______ das Casting *statt* ______. Elf Kandidaten ______ ______. Das Casting ______ um zehn Uhr ______. Frau Mainka und Herr Wunderlich ______ schon. Sie ______ ein Formular ______. Die Fotografin Frau Steinmann ist auch schon da. Sie ______ auch für „Tele Media". Der Produzent ______ Frau Troll: „Was sind Ihre Hobbys? ______ Sie gern?"

4 *Sie? Warum Sie?* Ergänzen Sie *dran sein*.

Herr Spring	Wer *ist* ______ jetzt *dran* ______?
Herr Wunderlich	Ich ______ ______.
Frau Braun	Sie? Warum Sie? Sie ______ noch nicht ______!
Herr Wunderlich	Natürlich ______ ich ______!
Herr Kowalski	Entschuldigung, ich glaube, die Frau hier links ______ ______.
Torsten und Tanja Troll	Das stimmt nicht! Wir ______ ______. Wir warten schon lange.
Frau Schnell	Nein, nein, Frau Mainka fängt an. Sie ______ jetzt ______!

5 Aller Anfang ist schwer. Ergänzen Sie *anfangen*.

▶ Also gut, wir *fangen* *an*! Wer ______ zuerst ______? ______ Sie ______?

◁ Ich? Nein, ich ______ nicht ______! Du ______ ______.

● Ach nein, warum ______ ihr nicht ______?

○ Nein, Frau Baumann ______ ______. Sie ist dran.

6 Schreiben Sie bitte die Sätze.

~~Frau Braun ist um elf Uhr dran.~~
Füllen Sie bitte das Formular aus.
Wir fangen am Montag um acht Uhr an.
Wer macht heute mit?
Findet das Spiel heute statt?
Tobias spielt auch mit.

	Verb	Satzmitte	Satzende
Frau Braun	*ist*	*um elf Uhr*	*dran.*

7 Im Deutschkurs. Bitte schreiben Sie Sätze.

1. der Kurs – stattfinden – am Montag
2. die Leute – Platz nehmen
3. um 19.20 Uhr – alle Leute – da sein
4. um 19.30 Uhr – sie – anfangen
5. die Leute – lesen – Texte
6. Herr Sandos – dran sein
7. er – nervös – sein
8. alle – gern – mitmachen

1. *Der Kurs findet am Montag statt.*
2. ______
3. ______
4. ______
5. ______
6. ______
7. ______
8. ______

 8 Verbformen (*möcht-*). Bitte ergänzen Sie.

Ich ______________ gern mitmachen.
Möchtest ______________ du auch mitmachen?
Herr Kowalski ______________ mitmachen,
Frau Braun ______________ mitmachen,
und ihr Kind ______________ auch mitmachen.
Wir alle möchten ______________ gern mitmachen.
Thomas und Anna, möchtet ______________ ihr auch mitmachen?
Oh, Herr und Frau Franke möchten ______________ auch mitmachen!
Und Sie? ______________ Sie auch mitmachen?

9 Schreiben Sie bitte Sätze.

Ich Ihr Sebastian Anna und Tom Du Frau Schnell Wir Die Kandidaten	möchte möchtest möchten möchtet	gern nicht	lesen reisen mitspielen Urlaub machen ins Kino gehen arbeiten Deutsch lernen Tennis spielen

Ich möchte gern Urlaub machen. ______________________________

____

Seite 41	Aufgabe 4–7

 1 *sein*(*e*) oder *ihr*(*e*)? Bitte ergänzen Sie.

Frau Ihle wohnt in Köln. Sie ist verheiratet. Ihr __________ Mann ist Taxifahrer. Sie hat drei Kinder. __________ Kinder sind vier, sechs und neun Jahre alt. Frau Ihle macht sehr oft Sport. __________ Hobby ist Tennis spielen. __________ Tochter spielt oft mit.

Herr Gallo kommt aus Italien. Er ist Hausmann. Seine __________ Frau ist von Beruf Büroassistentin. __________ Eltern wohnen nicht in Deutschland. Herr Gallo lernt Deutsch. __________ Kurs findet jeden Tag um neun Uhr statt. Herr Gallo arbeitet sehr viel. __________ Hobby ist schlafen.

2 Frau Mainka zeigt Fotos von ihrer Familie. Bitte schreiben Sie Sätze.

Beate mein Mann Stefan meine Mutter	sein seine ihr ihre	der Computer die Katze das Auto

Das ist Beate und ihr Computer. ______________________________

____

3 Bitte ergänzen Sie *Ihr(e)* oder *ihr(e)*.

Das ist Frau Mainka. Sie ist verheiratet. *Ihre* __________ Adresse ist Schillerstraße 8, Dortmund. Frau Mainka ist 34 Jahre alt, __________ Hobby ist Musik hören. Im Moment ist sie Hausfrau, aber __________ Beruf ist Krankenschwester. Frau Mainka hat zwei Kinder, aber __________ Kinder spielen bei „Meine Familie und ich“ nicht mit.

Frau Schnell, die Assistentin, fragt Frau Mainka: „Wie ist __________ Adresse? Und __________ Beruf, bitte? Was machen Sie gern? Was ist denn __________ Hobby? Haben Sie Kinder? Möchten __________ Kinder auch mitspielen?“

Ein Brief aus Tübingen

Seite 42/43	Aufgabe 1–3

1 Der Brief von Familie Troll. Richtig (r) oder falsch (f)?

1. Torsten und seine Familie sehen gern die Show „Meine Familie und ich“. ______ ~~r~~ f
2. Die Schwester von Torsten heißt Therese. ______ r f
3. Nur Torsten möchte mitmachen. ______ r f
4. Familie Troll möchte ein Lied für die Show singen. ______ r f
5. Die Familie singt gern. ______ r f

2 Familie

a) Bitte ordnen Sie.

~~die Schwester~~ der Onkel die Großeltern die Tante der Mann die Kinder die Großmutter der Vater die Geschwister

m	f	Pl
	die Schwester	

b) Ergänzen Sie.

1. die Eltern: der Vater, *die Mutter*
2. die ________________: der Bruder, die Schwester
3. die Großeltern: ________________, die Großmutter
4. der Großvater, der Vater, ________________
5. die Kinder, die Eltern, ________________
6. der Ehemann, ________________

Seite 43	Aufgabe 4–6

1 Ordnen Sie zu.

~~singen~~ die Geschwister das Klavier die Tante das Lied verheiratet der Onkel hören die Großeltern die Flöte

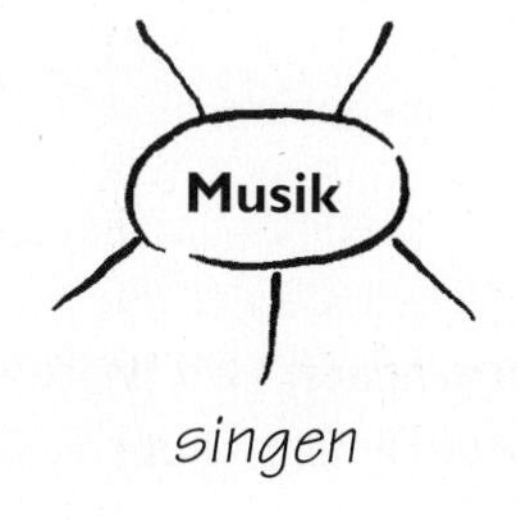

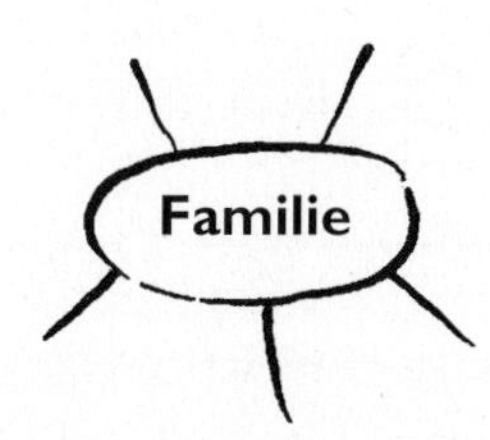

2 Warum möchten Sie das wissen?

▶ Wo sind denn *eure* ________ Eltern?
◁ *Unsere* ________ Eltern? Zu Hause.
▶ Wie heißen denn ________ Eltern?
◁ ________ Eltern heißen Papi und Mami.
▶ Na schön, aber wie heißen ________ Papi und ________ Mami?
◁ ________ Papi heißt Papi und ________ Mami ...
▶ Ja, ja, aber wie ist ________ Familienname?
◁ ________ Familienname? Was ist das?
▶ Also gut, aber ________ Adresse kennt ihr sicher.
◁ ________ Adresse?
▶ Ja, wo ist ________ Haus?
◁ Das sagen wir nicht.

3 Nach der Show. Wer hat die Sachen?

a) Bitte ergänzen Sie.

1. Das ist *ihre* ________ Flöte. (die Flöte von Tanja)
2. Das ist ________ Fotoapparat. (der Fotoapparat von Sebastian Hahn)
3. Das ist ________ Klavier. (das Klavier von Herrn Troll und Frau Troll)
4. Das sind ________ Fotos. (die Fotos von Herrn Wunderlich)
5. Das ist ________ Formular. (das Formular von Frau Schnell)
6. Das ist ________ Kugelschreiber. (der Kugelschreiber von Herrn Spring)

b) Ein Dialog: Beate und Torsten. Ergänzen Sie.

1. Beate Mainka sagt: „Das ist *mein* ________ Fotoapparat!" (der Fotoapparat von Beate)
2. Torsten Troll sagt: „Das sind ________ Fotos!" (die Fotos von Familie Troll)
3. Beate sagt: „Das ist ________ Hund!" (der Hund von Familie Troll)
4. Torsten sagt: „Das ist ________ Buch!" (das Buch von Beate)
5. Beate sagt: „Das ist ________ Gitarre!" (die Gitarre von Familie Troll)
6. Torsten sagt: „Das ist ________ Katze!" (die Katze von Familie Troll)

Im Deutschkurs

Seite 44	Aufgabe 1–3

1 Was passt?

an-	-sprechen
aus-	-lesen
mit-	-bringen
vor-	-fangen
nach-	-kommen
mit-	-füllen

anfangen ______________________

____

____

____

____

____

2 Alles ist schlecht! Was machen Sie?

1. „Meine Familie und ich" ist nicht interessant. (mitmachen)
2. Das Kino ist am Samstag immer voll. (mitkommen)
3. Das Lied ist nicht schön. (mitsingen)
4. Der Text ist sehr lang. (vorlesen)
5. Tennis? Ich bin unsportlich. (mitspielen)

		ODER	
1.	*Ich mache nicht mit.*		*Ich möchte nicht mitmachen.*
2.	______________		______________
3.	______________		______________
4.	______________		______________
5.	______________		______________

3 Das Kinoprogramm

a) Ergänzen Sie die Wochentage.

Fr ____________ Sa ____________ Do ____________ So ____________

Di ____________ Mi ____________ Mo ____________

b) Wann kommen die Filme?

Casablanca	Fr 22.00, Sa 21.45
Tarzan	Do 20.30, So 22.45
James Bond 007	Di/Mi 20.00, Sa 21.45
Drei Männer und ein Baby	Do 18.15
Titanic	Fr 20.15, So 19.00
Bambi	Mo 14.30, 16.15

Casablanca kommt am Freitag um 22.00 Uhr und am Samstag um 21.45 Uhr.

____

Lektion 4

Der Münsterplatz in Freiburg

Seite 46/47	Aufgabe 1–2

1 Was passt nicht?

1. das Café ~~das Kind~~ das Restaurant
2. das Obst das Gemüse die Kellnerin
3. der Kaffee der Mann die Frau
4. das Münster das Eis der Münsterplatz
5. die Kellnerin die Marktfrau das Buch
6. der Marktstand der Tee die Marktfrau

2 Der Münsterplatz. Was sehen Sie? Bitte ergänzen Sie.

verkauft **liest** **~~gibt~~** **isst** **bringt** **fotografiert**

1. Es *gibt* ein Café und einen Marktstand.
2. Die Kellnerin ______________ einen Kaffee.
3. Ein Mann ______________ ein Buch.
4. Marlene Steinmann ______________ den Münsterplatz.
5. Das Kind ______________ ein Eis.
6. Die Marktfrau ______________ Obst und Gemüse.

Foto-Objekte

Seite 48/49	Aufgabe 1–5

1 Fotos von Timo. Lesen Sie den Text (S. 48). Richtig (r) oder falsch (f)?

1. Die Marktfrau verkauft Eis. ______ r ~~f~~
2. Es gibt einen Souvenirladen. ______ r f
3. Timo lernt fotografieren. ______ r f
4. Die Kellnerin bringt ein Bier. ______ r f
5. Timo liest ein Buch. ______ r f
6. Frau Daume kauft einen Stadtplan. ______ r f

2 Verben und Nomen. Bitte kombinieren Sie.

trinken lesen verkaufen beobachten kaufen essen

eine Zeitung die Kellnerin Bücher das Auto einen Kaffee die Marktfrau Obst und Gemüse einen Brief

eine Zeitung lesen, kaufen; die Kellnerin ______

______

______

3 Subjekt, Verb, Objekt

a) Wer? Was? Wo ist das Subjekt (der Nominativ)? Markieren Sie.

1. Heute reist (Familie Daume) nach Freiburg. *Familie Daume*
2. Liegt Freiburg in Süddeutschland? ______
3. Timo fotografiert alle Leute. ______
4. Er macht das gern. ______
5. Trinkt das Kind gern Kaffee? ______
6. Nein, Timo trinkt nie Kaffee. ______

b) Wen? Was? Wo ist das Objekt (der Akkusativ)? Bitte markieren Sie.

1. Timo fotografiert (den Münsterplatz.) *den Münsterplatz*
2. Hier gibt es einen Souvenirladen. ______
3. Frau Daume kauft einen Stadtplan und Souvenirs. ______
4. Timo fotografiert auch den Münsterturm und das Café. ______
5. Die Kellnerin bringt einen Kaffee. ______
6. Der Mann trinkt den Kaffee. ______

4 Freiburg–Berlin

a) In Berlin gibt es auch ... Ergänzen Sie den unbestimmten Artikel (Akkusativ).

1. Das ist ein Platz. — In Berlin gibt es auch so *einen* Platz.
2. Das ist ein Rathaus. — Berlin hat auch ________ Rathaus.
3. Das sind Touristen. — Auch in Berlin gibt es ________ Touristen.
4. Das ist eine Kirche. — Hat Berlin auch so ________ Kirche?
5. Das ist ein Fußballplatz. — In Berlin gibt es auch ________ Fußballplatz.

b) In Freiburg ist alles interessant. Ergänzen Sie bitte den bestimmten Artikel (Akkusativ).

1. Das Münster ist schön. — Timo fotografiert *das* Münster.
2. Der Marktstand ist interessant. — Er fotografiert ________ Marktstand.
3. Die Marktfrau ist interessant. — Er beobachtet ________ Marktfrau.
4. Die Menschen in Freiburg sind nett. — Er findet ________ Menschen hier nett.
5. Der Münsterplatz ist groß. — Er beobachtet ________ Münsterplatz.

5 Herr Kaufinger kauft gern und viel. Ergänzen Sie den Artikel (Akkusativ).

Heute kauft Herr Kaufinger *einen* Kugelschreiber, ________ Bleistift und ________ Radiergummi, ________ Karte von Europa, ________ Stadtplan von Rom, ________ Fotoapparat, ________ Zeitung, ________ Computerspiel und ________ Bücher. Morgen kauft er nichts, er hat kein Geld mehr.

6 Was glauben Sie: Was kaufen die Leute?

a) Kombinieren Sie.

1. Herr Daume	Stadtplan
2. Frau Daume	Computer
3. Timo	Souvenirs
4. Marlene Steinmann	Eis
5. die Touristen	Auto
6. der Student	Fotoapparat

b) Bitte schreiben Sie Sätze.

1. *Herr Daume kauft ein Auto.*

____

7 Zeitungsanzeigen. Bitte lesen Sie.

a) Wer sucht wen?

1

Welche nette und freundliche
Kellnerin
möchte samstags und sonntags im
Restaurant Post arbeiten?
Interesse? Dann rufen Sie uns an:
Tel. 0761/667593

2

Taxi-Unternehmen sucht
Fahrer
für Samstag und Sonntag.
Firma Taxi-Meier, T.: 2456781

3

Wo ist unsere **neue Fotografin** für
Fotos und Reportagen?
Die Freiburger Zeitung braucht Sie!
Schreiben Sie an Herrn Böhme.
Chiffre FZ 765.

4

Zwei zuverlässige
Lastwagen-Fahrer gesucht!
Hamburg–München
Spedition Franz, T.: 486531

5

Ich, 38 Jahre alt, suche
Ehemann
– nett und schön, bis 40 J. –
Bitte schreiben Sie mit Foto
an Chiffre FZ 810.

1. Das Restaurant Post sucht eine Kellnerin.
2. Die Firma Meier sucht ____________________.
3. Die Freiburger Zeitung sucht ____________________.
4. Die Spedition Franz sucht ____________________.
5. Eine Frau sucht ____________________.

b) Was passt zusammen?

1. Herr Wunderlich ist 36 Jahre alt und sucht eine Frau: Anzeige ______
2. Herr Kowalski ist Fahrer, er möchte aber nicht Lastwagen fahren: Anzeige ______
3. Frau Braun fotografiert gern und gut: Anzeige ______
4. Frau Troll möchte arbeiten, aber nur am Samstag und Sonntag: Anzeige ______
5. Herr Franke ist Fahrer. Er wohnt in Hamburg und hat Freunde in München: Anzeige ______

8 Der Münsterplatz. Bitte schreiben Sie Sätze.

1. einen Mann / Timo / fotografiert / .
   Timo fotografiert einen Mann.
2. einen Kaffee / liest / der Mann / trinkt / und / ein Buch / .
   ____
3. Timo / Herr und Frau Daume / beobachten / .
   ____
4. die Kellnerin / ein Eis / bringt / .
   ____
5. isst / die Marktfrau / ein Sandwich / .
   ____
6. Obst und Gemüse / Marlene Steinmann / kauft / .
   ____

9 Hier ist ja alles falsch! Schreiben Sie bitte die Sätze richtig.

1. Der Stadtplan liest den Mann.
   Der Mann liest den Stadtplan.
2. Der Kaffee bringt die Kellnerin.
   ______
3. Ein Marktstand hat die Marktfrau.
   ______
4. Ein Computer kauft die Studentin.
   ______
5. Der Münsterplatz beobachtet Frau Daume.
   ______
6. Ein Fotoapparat hat Timo.
   ______

10 Was fotografiert Marlene Steinmann wo?

Rostock

Frankfurt

Oberstdorf (Süddeutschland)

eine Kirche	**der Hafen**	**die Berge**	**das Rathaus**	**der Platz**
Restaurants	**die Schiffe**	**Cafés**	**ein Dorf**	**Menschen**

In Rostock fotografiert Marlene Steinmann *die Schiffe.* ______

______

In Frankfurt fotografiert sie ______

______

In Süddeutschland fotografiert sie ______

______

Seite 50	Aufgabe 6–9

1 Wo ist das Akkusativ-Objekt? Bitte markieren Sie.

1. Timo fotografiert (die Kirche.) (Den Platz) fotografiert er auch.
2. Die Marktfrau verkauft Obst. Eis verkauft sie nicht.
3. Was kauft Frau Daume? Ein Buch? Nein, ein Buch kauft sie nicht.
4. Frau Daume kauft eine Zeitung, und einen Stadtplan kauft sie auch.
5. Marlene fotografiert den Münsterplatz. Die Menschen fotografiert sie natürlich auch.
6. Die Kellnerin bringt einen Kaffee. Ein Bier bringt sie nicht.

2 Subjekt und Objekt. Ordnen Sie bitte.

	Subjekt	Akkusativ-Objekt
1. Herr Daume isst gern Eis.	*Herr Daume*	*Eis*
2. Obst isst er nicht gern.		
3. Beobachtet Frau Daume ein Auto?		
4. Nein, sie beobachtet den Münsterplatz.		
5. Straßen und Plätze beobachtet sie immer gern.		
6. „Trinken Sie noch einen Kaffee?"		
7. „Nein, ich hätte gern einen Tee.		
8. Und ein Sandwich möchte ich auch."		

3 Verb und Akkusativ. Kombinieren Sie.

sehen lernen buchstabieren schreiben beobachten fotografieren suchen

eine Kirche der Mann ein Brief das Alphabet ein Wort das Kind Katzen der Name

eine Kirche sehen, fotografieren, suchen; den Mann sehen, ______________________

____

____

4 *Wen? Was?* Ordnen Sie die Verben aus Übung 3.

Wen?	Was?
sehen,	*sehen, lernen,*

5 *Wer? Wen? Was?* Bitte ergänzen Sie.

1. *Was* ______ möchte Herr Daume sehen? – Das Münster.
2. Marlene Steinmann fotografiert Menschen in Freiburg. – ______ fotografiert Marlene Steinmann?
3. ______ kommt aus Berlin? – Familie Daume.
4. Frau Daume sucht Timo. – ______ sucht sie?
5. Die Kellnerin bringt einen Kaffee. – ______ bringt die Kellnerin?
6. Der Kaffee ist kalt. – ______ ist kalt?
7. ______ möchte ein Eis haben? – Timo natürlich.
8. Freiburg ist schön. – ______ ist schön?

Eine Freiburgerin

Seite 51	Aufgabe 1–3

1 Was brauchen die Leute? – Ein Akkusativ-Objekt!

~~Radio~~ Kugelschreiber Deutschbuch Computer Fotoapparat Klavier

1. Katrin möchte Nachrichten hören. *Sie braucht ein Radio.*
2. Marlene Steinmann möchte ein Foto machen. ______
3. Die Kinder möchten ein Computerspiel spielen. ______
4. Martin Miller möchte einen Brief schreiben. ______
5. Torsten Troll möchte ein Lied spielen. ______
6. Pablo möchte Deutsch lernen. ______

2 Herr Wenig braucht nicht viel. Bitte ergänzen Sie die Formen von *kein*.

1. Ich brauche *kein* Auto. Ich fahre Zug.
2. Ich brauche ______ Kaffee. Ich trinke Tee.
3. Ich brauche ______ Fernseher. Ich habe ein Radio.
4. Ich brauche ______ Telefon. Ich schreibe Briefe.
5. Ich brauche ______ Bücher. Ich lese die Zeitung.
6. Ich brauche ______ Haus. Ich habe eine Wohnung.

3 Interview mit Frau Reich. Ergänzen Sie bitte.

Martin Miller	Was sind Sie von Beruf?
Frau Reich	Beruf? Ich brauche *keinen* Beruf. Ich habe viel Geld.
Martin Miller	Sind Sie verheiratet?
Frau Reich	Nein, ich brauche ______ Mann.
Martin Miller	Haben Sie Kinder?
Frau Reich	Nein, ich habe ______ Kinder.
Martin Miller	Wo ist Ihre Wohnung?
Frau Reich	Ich habe drei Häuser, ich brauche ______ Wohnung.
Martin Miller	Machen Sie hier Urlaub?
Frau Reich	Ich arbeite nie, ich brauche ______ Urlaub.
Martin Miller	Sie haben ______ Beruf, ______ Mann, ______ Kinder, ______ Wohnung, ______ Urlaub. Sie haben viel Geld und ______ Probleme.
Frau Reich	Doch! Ein Problem habe ich! Ich bin sehr allein.

4 Wer hat was? Bitte schreiben Sie Sätze.

	Telefon	Fernseher	Auto	Fahrrad	Haus	Zeit
Katrin	+	–	–	+	–	–
Timo	–	–	–	+	–	+
Herr und Frau Daume	+	+	+	+	+	–
Marktfrau	+	+	–	+	–	+

Katrin hat ein Telefon und ein Fahrrad. Sie hat keinen Fernseher, kein Auto,

____

5 Schöndorf und Schönstadt

Schöndorf	Schönstadt
Kirche, Schule, Rathaus, Sportplatz, Marktplatz, Geschäft	Kirche (2), Schule (3), Rathaus, Kaufhaus, Fabrik, Bahnhof, Restaurants, Supermarkt, Sportplatz (2)

a) Was gibt es in Schöndorf? Was gibt es in Schönstadt?

In Schöndorf gibt es eine Kirche,

____

In Schönstadt gibt es zwei Kirchen,

____

b) Was gibt es in Schöndorf nicht?

In Schöndorf gibt es kein Kaufhaus,

____

Das Münster-Café

Seite 52/53	Aufgabe 1–4

1 Was ist das?

1. *der Kuchen*
2. ______________
3. ______________
4. ______________
5. ______________
6. ______________
7. ______________

2 Nomen und Verben. Was passt?

arbeiten	essen	~~trinken~~	kaufen	lesen

1. Tee Kaffee Apfelsaft Milch *trinken*
2. Wurst Käse Kuchen Obst ______
3. Buch Zeitung Stadtplan Brief ______
4. Supermarkt Geschäft Souvenirladen Marktstand ______
5. Marktfrau Kellnerin Fotografin Journalist ______

3 Frau Schröder im Café. Wer spricht? Ordnen Sie den Dialog.

	☐	Und was möchten Sie trinken?
	☐	Ja, wir haben heute Apfelkuchen und Schokoladenkuchen.
Frau Schröder	1	Ich möchte gern bestellen.
	☐	Dann hätte ich gern einen Apfelkuchen.
	☐	Einen Tee bitte.
	☐	Haben Sie Obstkuchen?
Kellnerin	2	Was nehmen Sie bitte?

4 Was passt? Bitte kreuzen Sie an.

	ein Glas	eine Flasche	eine Tasse	ein Stück, zwei Stück
1. Tee	X		X	
2. Kaffee				
3. Kuchen				
4. Torte				
5. Mineralwasser				

5 *Glas, Stück, Tasse* oder *Flasche*? Ergänzen Sie bitte.

1. Die Kellnerin kommt und fragt: „Guten Tag! Was möchten Sie?"
   Frau Daume sagt: „Ich hätte gern *ein Glas* Tee und ______ Schokoladentorte. Was möchtest denn du, Walter?"
2. Herr Daume antwortet: „Ich hätte auch gern ______ Schokoladentorte und ______ Kaffee bitte."
3. Die Kellnerin bringt ______ Kaffee und ______ Tee. Sie sagt: „Entschuldigen Sie bitte. Wir haben heute keine Schokoladentorte. Möchten Sie dann Obstkuchen?"
4. Herr und Frau Daume sagen: „Nein, dann möchten wir ______ Käsekuchen. Und bitte noch ______ Mineralwasser und zwei Gläser."
   Und was möchte Timo? Natürlich ein Eis!

6 *nehmen*. Ergänzen Sie bitte.

1. Die Kellnerin kommt und fragt: „Guten Tag! Was *nehmen* Sie?"
2. Frau Daume sagt: „Ich ____________ ein Glas Tee und ein Stück Schokoladentorte.
3. Was ____________ denn du, Walter?"
4. Herr Daume antwortet: „Ich ____________ auch ein Stück Schokoladentorte und eine Tasse Kaffee bitte."
5. Die Kellnerin bringt eine Tasse Kaffee und ein Glas Tee. Sie sagt: „Entschuldigen Sie bitte. Wir haben heute keine Schokoladentorte. ____________ Sie dann Obstkuchen?"
6. Herr und Frau Daume sagen: „Nein, dann ____________ wir zwei Stück Käsekuchen. Und bitte noch eine Flasche Mineralwasser und zwei Gläser."
7. Und was ____________ Timo? Natürlich ein Eis!

7 Pronomen und Verbformen. Markieren Sie bitte.

ich	du	er	sie	es	wir	ihr	sie	Sie	Verbform
					×		×	×	essen
									sehe
									liest
									sprecht
									isst
									siehst
									spricht

8 Verben mit Vokalwechsel. Bitte ergänzen Sie.

	sehen	lesen	sprechen
ich			*spreche*
du		*liest*	
er • sie • es	*sieht*		*spricht*
wir			
ihr	*seht*		*sprecht*
sie • Sie		*lesen*	

9 „Mein Mann und ich!" Ergänzen Sie bitte.

1. Mein Mann *spricht* selten, ich ____________ viel. (sprechen)
2. Ich ____________ Wurst, er ____________ Käse. (essen)
3. Ich ____________ Zeitung, er ____________ Bücher. (lesen)
4. Er ____________ immer den Bus, ich ____________ immer ein Taxi. (nehmen)
5. Ich ____________ gern Fernsehshows, er ____________ gern Krimis. (sehen)

Machen wir etwas falsch?

1 Im Café. Herr Hansen und Herr Bauer möchten gehen. Was passt?

sofort **bezahlen** **machen Sie** **zurück** **Zusammen** **Das macht**

Herr Bauer	Kann ich bitte *bezahlen* ?
Kellnerin	Ja, ____________. ____________ oder getrennt?
Herr Bauer	Getrennt bitte.
Kellnerin	____________ einmal ... 11 Euro bitte und einmal 9 Euro.
Herr Bauer	Hier sind 20 Euro, ____________ 12.
Kellnerin	Danke. Und 8 Euro ____________.
Herr Hansen	Hier sind 10 Euro, das stimmt so.
Kellnerin	Vielen Dank. Auf Wiedersehen.

2 Wie lesen Sie die Preise?

1,40€
ein Euro vierzig

23,85€
____

19,99€
____

18,30€
____

8,65€
____

3 Bestellen oder bezahlen? Was passt?

Ich hätte gern ein Mineralwasser. Das macht 15€. Das stimmt so. Zusammen oder getrennt? Ich nehme einen Kaffee. Ich möchte ein Stück Obstkuchen. Was nehmen Sie? Was macht das?

bestellen	bezahlen
Ich hätte gern ein Mineralwasser.	

Am Samstag arbeiten?

Seite 54	Aufgabe 1–2

1 Wer muss was machen?

reisen — lesen — Interviews machen — lernen — in die Schule gehen — schreiben — fotografieren

1. Ein Journalist: Er muss reisen, ________________
2. Eine Fotografin: ________________
3. Eine Schülerin: ________________

2 Zwei Männer im Café. Antworten Sie.

arbeiten — ~~etwas bestellen~~ — mehr schlafen — Urlaub machen — bezahlen — ein Taxi nehmen

1. „Ich möchte etwas essen." „Dann musst du etwas bestellen!"
2. „Ich habe kein Geld." ________________
3. „Ich arbeite so viel." ________________
4. „Ich bin immer so müde." ________________
5. „Ich möchte gehen." ________________
6. „Ich möchte nicht zu Fuß gehen." ________________
   „Aber ich habe doch kein Geld!"

3 Immer ich! Ergänzen Sie die Formen von *müssen*.

1. Immer muss ______ ich einkaufen.
2. __________ du auch manchmal einkaufen, Sandra?
3. Timo __________ nie einkaufen.
4. Maria und ich, wir __________ immer einkaufen.
5. Warum __________ ihr nie einkaufen, Dennis und Philipp?
6. Alle __________ einkaufen. Das ist richtig!

4 Was passt nicht?

Supermarkt	Schreibwarenladen	Bäckerei	Marktstand
~~Klavier~~ Marmelade Eier	Kugelschreiber Heft Milch	Brot Gemüse Kuchen	Zeitung Salat Äpfel

5 Was können Sie essen oder trinken?

eine Tasse Tee · ein Glas Apfelsaft · eine Wasserflasche · eine Kaffeetasse · ein Saftglas · eine Tasse Kaffee · ein Weinglas · ein Stück Kuchen · ein Sandwich · eine Flasche Mineralwasser

Das können Sie essen oder trinken	Das können Sie nicht essen und nicht trinken
eine Tasse Tee,	

6 Die Bäckerei. Frau Egli kauft ein. Bitte ergänzen Sie.

nehme   sind   hätte   ~~möchten~~   ist   macht

Verkäuferin	Guten Tag, was *möchten* Sie bitte?
Frau Egli	Ich ________ gern ein Brot.
Verkäuferin	Ja, gern. Noch etwas?
Frau Egli	Dann ________ ich noch zwei Stück Apfelkuchen.
	Das ________ alles.
Verkäuferin	Das ________ dann 7 Euro.
Frau Egli	Hier ________ 10 Euro.
Verkäuferin	Und 3 Euro zurück. Vielen Dank, auf Wiedersehen.
Frau Egli	Auf Wiedersehen.

1 Was kann Katrin Berger hier machen?

a) Kombinieren Sie.

Marktstand	Kaffee trinken
Universität	Fahrrad fahren
Café	Obst und Gemüse kaufen
Kino	viel lernen
Straße	Brot kaufen
Bäckerei	einen Film sehen

b) Schreiben Sie Sätze.

Marktstand: Hier kann Katrin Obst und Gemüse kaufen.
Universität: ______
Café: ______
Kino: ______
Straße: ______
Bäckerei: ______

2 Wer kauft für Mama ein?

1. Ich kann ______ leider nicht einkaufen, Mama.
2. ______ du vielleicht einkaufen, Robert?
3. Nein, Mama, Robert ______ auch nicht einkaufen, er lernt.
4. Wir ______ nicht einkaufen, Mama. Wir Kinder haben keine Zeit.
5. ______ ihr das nicht machen, du und Papa?
6. Die Eltern ______ doch alles so gut!

3 *kann* oder *muss*? Bitte markieren Sie.

1. Das Kind ist klein. Es kann / muss noch nicht sprechen.
2. Der Supermarkt ist groß. Hier kann / muss Frau Egli alles kaufen.
3. Herr Egli bestellt einen Kaffee. Er kann / muss den Kaffee bezahlen.
4. Herr und Frau Daume haben Urlaub. Sie können / müssen nicht arbeiten.
5. Herr und Frau Daume müssen nicht arbeiten. Sie können / müssen eine Reise machen.
6. Katrin Berger ist Studentin. Sie kann / muss viel lesen.

4 *müssen* oder *können*? Was passt?

1. Wir können ______ heute leider nicht mitkommen, wir ______ lange arbeiten.
2. Katrin Berger hat kein Auto, aber sie ______ Auto fahren.
3. Die Schüler schreiben nicht gern, aber heute ______ sie viel schreiben.
4. Tiere ______ nicht sprechen.
5. Die Marktfrau ______ am Samstag arbeiten.
6. Das Kind ist acht Jahre alt. Es ______ noch nicht gut lesen. Es ______ jetzt lesen lernen.
7. Es ist schon 22 Uhr. Kinder ______ jetzt schlafen.
8. ______ du immer am Wochenende arbeiten? ______ du keine andere Arbeit finden?

5 Modalverben. Bitte ordnen Sie die Sätze.

~~Timo muss nicht in die Schule gehen.~~ Was möchte Timo machen?
Er möchte viele Fotos machen. Timo kann aber nicht gut fotografieren.
Das muss er noch lernen!

	Verb (Modalverb)	Satzmitte	Satzende (Infinitiv)
Timo	muss	nicht in die Schule	gehen.

6 Bitte schreiben Sie Sätze.

Frau Egli: wir / einkaufen / müssen / heute noch / .
1. Wir müssen heute noch einkaufen.

morgen / Beat und Regula / möchten / kommen / .
2. ______

Herr Egli: Kaffee / kaufen / müssen / wir / ?
3. ______

Frau Egli: wir / Kaffee / müssen / kaufen / keinen.
4. ______

können / wir / Kuchen / kaufen / !
5. ______

Herr Egli: Regula und Beat / Torte / doch immer / essen / möchten / !
6. ______

Frau Egli: dann / kaufen / Kuchen / Torte / wir / und / .
7. ______

Herr Egli: Aber keinen Kaffee!

Im Deutschkurs

Seite 56	Aufgabe 1–3

1 Was kann man machen? Ergänzen Sie.

essen trinken hören lesen buchstabieren kaufen schreiben machen verkaufen

1. Ein Buch *kann man lesen, kaufen, schreiben und verkaufen.*
2. Einen Brief ______
3. Ein Wort ______
4. Gemüse ______
5. Apfelsaft ______
6. Musik ______
7. Kuchen ______
8. Die Zeitung ______

2 Im Deutschkurs: Muss man? Kann man? Oder kann man nicht?

fragen Dialoge hören essen Deutsch sprechen Grammatik lernen trinken schlafen

Man muss Deutsch sprechen, ______

______

Man kann ______

______

Man kann nicht ______

3 *er, sie, es* oder *man*? Ergänzen Sie bitte.

1. Ein Supermarkt. Hier gibt es fast alles: *Man* ______ kann Brot kaufen, Obst und Gemüse.
2. Aber manchmal muss ______ lange warten.
3. Pablo kauft heute im Supermarkt ein; ______ braucht Milch, Salat und Marmelade.
4. Frau Daume und Timo sind auch da. ______ suchen Apfelsaft.
5. Frau Daume sagt: „Hier findet ______ nichts!“
6. Timo sucht und sucht. ______ findet den Apfelsaft!
7. Frau Daume ist zufrieden. Jetzt möchte ______ bezahlen, aber ______ muss warten.

Lektion 5

Leute in Hamburg

Seite 58/59	Aufgabe 1–4

1 Berufe: Was passt?

Journalist ~~Produzent~~ **Kellner** **Lehrer** **Verkäufer**

1. Fernsehen, Casting, Sendung, Kandidaten: *Produzent*
2. Deutschkurs, lernen, Grammatik, Schule: ____________
3. Obst, Supermarkt, verkaufen, Gemüse: ____________
4. schreiben, Interviews, reisen, Zeitung: ____________
5. Café, bringen, Torte, bestellen: ____________

2 Berufe: Er und sie. Ergänzen Sie bitte.

1. Er ist Taxifahrer. Sie ist *Taxifahrerin*.
2. Er ist Journalist. Sie ist ____________.
3. Er ist ____________. Sie ist Lehrerin.
4. Er ist Rentner. Sie ist ____________.
5. Er ist ____________. Sie ist Fotografin.
6. Er ist Koch. Sie ist ____________.
7. Er ist Arzt. Sie ist ____________.
8. Er ist Hausmann. Sie ist ____________.

3 Berufe: Wer macht was?

Menschen fotografieren **Interviews machen** **ein Restaurant haben**
Obst verkaufen ~~Auto fahren~~ **Kaffee und Kuchen bringen**

1. Frau Behrend ist Taxifahrerin. Sie *fährt Auto.*
2. Frau Steinmann ist Fotografin. Sie ____________
3. Herr Perrone ist Kellner. ____________
4. Frau Jakob ist Marktfrau. ____________
5. Herr Miller ist Journalist. ____________
6. Herr Opong ist Koch. ____________

4 Ein Dialog

a) Lesen Sie.

Herr Wunderlich: Ach, Frau Schuster, was sind Sie denn von Beruf?
Frau Schuster: Na ja, ich arbeite nicht mehr. Ich bin …
Herr Wunderlich: Aha! Sind Sie Hausfrau?
Frau Schuster: Nein, eigentlich nicht. Im Moment mache ich ein Casting für eine Fernsehsendung, aber ich …
Herr Wunderlich: Oh! Arbeiten Sie für das Fernsehen? Sind Sie Produzentin?
Frau Schuster: Aber nein. Ich habe viel Zeit, aber wenig Geld und …
Herr Wunderlich: Ah, alles klar. Sie haben also keine Arbeit. Möchten Sie für mich arbeiten? Ich habe ein Café und suche eine Kellnerin.
Frau Schuster: Das ist nett, aber das kann ich nicht. Ich bin alt! Ich bin …
Herr Wunderlich: Aber nein! Ich finde Sie sehr jung und hübsch! Möchten Sie nicht morgen …
Frau Schuster: Stopp, stopp, stopp! Ich bin keine Hausfrau und auch keine Produzentin. Ich möchte auch nicht Kellnerin sein. Ich bin Rentnerin!

b) Richtig (r) oder falsch (f)? Markieren Sie bitte.

1. Frau Schuster arbeitet nicht. Sie ist Hausfrau. ______ r ~~f~~
2. Herr Wunderlich ist Produzent für eine Fernsehsendung. ______ r f
3. Frau Schuster hat viel Zeit. ______ r f
4. Herr Wunderlich braucht eine Kellnerin. ______ r f
5. Frau Schuster ist Kellnerin. ______ r f

Ein Stadtspaziergang

Seite 60	Aufgabe 1–3

1 Tourist in Hamburg: Was kann man machen?

① „Fischmarkt" → C
② Fußgängerzone
③ Hafen
④ Restaurant
⑤ Touristen-Information
⑥ „Michel"

A Man kann auf die Stadt schauen.
B Man kann Schiffe beobachten.
C Man kann Fisch kaufen.
D Man kann Prospekte und Stadtpläne finden.
E Man kann in Geschäfte gehen.
F Man kann Hamburger Spezialitäten essen.

1	C
2	
3	
4	
5	
6	

2 Was kann man besichtigen? Was kann man beobachten? Bitte ordnen Sie.

besichtigen	beobachten
	Menschen

Seite 61	Aufgabe 4–7

1 Martin Miller sagt: „Ich möchte …" Was sagen Sie? Wohin muss er gehen?

auf den Kirchturm steigen — ins Zentrum fahren — in ein Café gehen — in einen Schreibwarenladen gehen — auf den Markt gehen — ~~ins Kino gehen~~

Martin Miller „Ich möchte …	☺: „Da müssen Sie …
1. einen Film sehen."	*ins Kino gehen!"*
2. Obst kaufen."	
3. Postkarten kaufen."	
4. auf die Stadt schauen."	
5. einen Kuchen essen."	
6. die Fußgängerzone sehen."	

2 *auf* oder *in*? Bitte kombinieren Sie.

auf in	ein Haus, die Schule, einen Supermarkt, die Stadt, den Markt, die Straße, den Stadtplan, Geschäfte	gehen schauen

auf ein Haus schauen, in ein Haus gehen, ______________________

____

3 Eine Postkarte aus Köln. Ergänzen Sie bitte *auf* oder *in* + Artikel.

Hallo Sabine,
jetzt bin ich schon fünf Tage in Köln. Ich finde die Stadt sehr interessant. Man kann viel besichtigen, ich gehe oft *ins* ________ Museum. Jeden Tag nehme ich die S-Bahn und fahre ________ Zentrum. Dort liegt der Dom, mitten in Köln.
Ich steige sehr gerne ________ ________ Turm und schaue ________ ________ Stadt und ________ ________ Fluss. Ich gehe auch oft ________ ________ Markt. Abends gehe ich mit Martin und Nina ________ Theater oder ________ Kino. Wir gehen auch manchmal ________ ________ Restaurant oder ________ ________ Café.
Dort trinkt man gerne „Kölsch". Das ist ein Bier, eine Kölner Spezialität.
Kennst du es?
Bis bald!

Tschüs, deine Ellen

Frau
Sabine Weber
Christophstr. 30

70180 Stuttgart

4 *Wo, wohin? – Auf, in, nach …*

a) *Wo* oder *wohin*? Bitte markieren Sie.

	Wo?	Wohin?
auf den Markt gehen		X
in Deutschland arbeiten		
nach Hamburg fahren		
ins Restaurant gehen		
auf den Stadtplan schauen		
in Berlin wohnen		
nach Italien fahren		
in Italien Urlaub machen		

b) Wie fragen Sie?

1. Martin Miller ist heute in Hamburg. *Wo ist er?*
2. Zuerst geht er in die Touristen-Information. ________
3. Dann geht er in ein Café. ________
4. Dort trinkt er einen Tee. ________
5. Danach fährt Martin Miller ins Zentrum. ________
6. Abends ist er müde und fährt ins Hotel. ________
7. Und morgen? Morgen ist er in Bremen. ________
8. Und am Montag fährt er nach Berlin. ________

Der Tag von Familie Raptis

Seite 62	Aufgabe 1–3

1 Lesen Sie Seite 62, Aufgabe 1. Was ist richtig? Markieren Sie bitte.

1. Abends / (Morgens) bereitet Andrea ihren Deutschunterricht vor.
2. Nachmittags / Mittags essen Andrea und die Kinder zusammen zu Mittag.
3. Nachmittags / Abends treffen Lena und Jakob ihre Freunde.
4. Morgens / Abends bringt Kostas die Kinder ins Bett.
5. Nachts / Mittags schläft Familie Raptis.

2 Was macht man wann?

1. Kaffee trinken: *morgens, nachmittags*
2. in die Schule gehen: ______
3. schlafen: ______
4. das Mittagessen machen: ______
5. Freunde treffen: ______
6. ins Kino gehen: ______

3 Der Tag von Claudia Wieland

a) Bitte schreiben Sie Sätze.

	morgens	mittags	nachmittags	abends	nachts
schlafen	X				
frühstücken		X			
Haushalt machen			X		
einkaufen			X		
Kaffee trinken				X	
ins Krankenhaus fahren				X	
arbeiten					X

1. Morgens *schläft Claudia Wieland.*
2. Mittags ______
3. Nachmittags ______
4. Abends ______
5. Nachts ______

b) Was ist Claudia Wieland von Beruf? Was glauben Sie?

Sie ist ______ von Beruf.

Seite 63	Aufgabe 4–7

1 Was brauchen die Leute? Ergänzen Sie *ihr, ihre, ihren* und *sein, seine, seinen*.

1. Martin Miller fährt nach Hamburg. Er braucht _seinen_ Stadtplan, __________ Computer und __________ Kugelschreiber.
2. Marlene Steinmann macht eine Foto-Reportage. Sie braucht __________ Fotoapparat, __________ Kalender und __________ Visitenkarten.
3. Igor Schapiro geht in den Deutschkurs. Er braucht __________ Buch, __________ Bleistift, __________ Radiergummi und __________ Heft.
4. Herr und Frau Berger machen Urlaub in Italien. Sie brauchen __________ Auto, __________ Fahrräder und __________ Wörterbuch.

2 Familie Raptis fotografiert. Bitte schreiben Sie Sätze mit *ihr* und *sein*.

Kostas **die Eltern** **die Kinder** **Jakob** **Lena**

fotografiert **fotografieren**

Bruder Jakob **Kinder** **Großeltern** **Frau** **Schwester Lena** **Katze** **Vater**

Kostas fotografiert seine Kinder.

____

____

____

____

3 Wir verkaufen alles. Ihr auch?

Wir verkaufen …
1. _unsere_ Bücher,
2. __________ Klavier,
3. __________ Auto,
4. __________ Fernseher,
5. __________ Radio,
6. und __________ Wohnung.

Wir gehen nach Amerika und brauchen Geld!

Und ihr? Verkauft ihr auch …
1. _eure_ Bücher,
2. __________ Klavier,
3. __________ Auto,
4. __________ Fernseher,
5. __________ Radio,
6. und __________ Wohnung?

Wohin geht ihr?

4 Kombinieren Sie und schreiben Sie Sätze mit *mein*, *dein* usw.

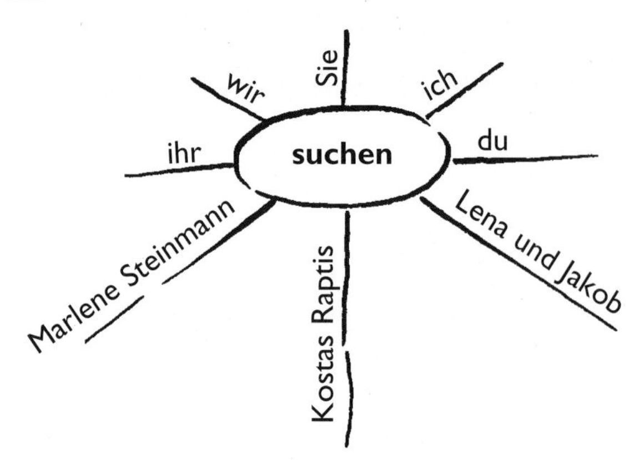

der Fotoapparat
der Stadtplan
die Flöte
die Katze
das Auto
das Fahrrad
die Kinder
die Bücher

Marlene Steinmann sucht ihren Fotoapparat. Wir suchen unser Auto.

____

____

5 Kostas Raptis und Andrea Solling-Raptis

a) Kostas: Bitte schreiben Sie Sätze.

1. Er / von Beruf / ist / Arzt /.
   Er ist Arzt von Beruf.
2. ist / anstrengend, / Seine Arbeit / aber interessant /.
   ____
3. arbeitet / am Wochenende / und / manchmal auch / von Montag bis Freitag / Er /.
   ____
4. Zeit für seine Familie / Er / nicht immer / hat /.
   ____
5. ins Bett / Kostas / Abends / bringt / die Kinder /.
   ____

b) Was wissen Sie über Andrea? Schreiben Sie einen Text.

Deutschlehrerin von Beruf
Mann: Kostas, Kinder: Lena und Jakob
morgens: alle zusammen frühstücken
Deutschunterricht vorbereiten
Haushalt machen
abends Deutsch unterrichten

Andrea ist Deutschlehrerin von Beruf. Ihr Mann

____

____

Früher und heute

Seite 64/65	Aufgabe 1–4

1 Was gab es nur früher, was gibt es auch heute?

a) Ergänzen Sie bitte.

Busse **Supermärkte** **~~E-Mails~~** **Autos** **Radios**

Früher	Heute
Briefe	*E-Mails*
Lebensmittelgeschäfte	
	S-Bahnen
	Fernseher
Fahrräder	

b) Bitte schreiben Sie Sätze.

Früher gab es nur Briefe, heute gibt es auch E-Mails.

____

____

____

2 Frau König erzählt von früher. Markieren Sie.

1. Früher bin / hatte /  war ich Verkäuferin.
2. Die Geschäfte haben / sind / waren früher klein.
3. Heute gibt es / sind / waren die Supermärkte oft groß.
4. Früher haben / hatten / waren die Leute mehr Zeit.
5. Aber früher hatte / ist / war auch nicht alles gut!

3 Hamburg früher und heute. Bitte ergänzen Sie *haben, sein, es gibt*.

1. Hamburg _war_ ____ früher sehr schön. Die Häuser ________ klein. Man ________ mehr Kontakt.
2. Die Leute ________ selten Autos. ____ ________ aber noch keine S-Bahn; das ________ heute gut.
3. Früher ________ die Geschäfte sehr klein. Heute ________ die Supermärkte und Kaufhäuser ja oft so groß! Dort ________ ____ alles.
4. Früher oder heute: Hamburg ________ immer schön!

Seite 65	Aufgabe 5–6

1 Fragen und Antworten. Bitte kombinieren Sie.

① Möchtest du nicht mitspielen?
② Hast du ein Haustier?
③ Hast du auch eine Katze?
④ Spielst du gern Tennis?
⑤ Machst du nicht gern Sport?
⑥ Kommen Sie mit?
⑦ Möchten Sie nicht mitkommen?
⑧ Hast du kein Wörterbuch?

A Ja, ich komme schon.
B Nein, ich spiele nicht mit.
C Doch, natürlich habe ich ein Wörterbuch.
D Nein, ich spiele nicht gern Tennis.
E Ja, ich habe einen Hund.
F Doch, ich komme sofort.
G Nein, ich habe keine Katze.
H Doch, aber ich spiele nicht gern Tennis.

1	_B_
2	
3	
4	
5	
6	
7	
8	

2 Wie heißt die Frage? Schreiben Sie bitte.

1. ▶ _Sind Sie Lehrerin von Beruf?_
   ◁ Ja, ich bin Lehrerin von Beruf.
2. ▶ ________________
   ◁ Nein, ich arbeite nicht in Hamburg.
3. ▶ ________________
   ◁ Doch, ich trinke gern Kaffee.
4. ▶ ________________
   ◁ Nein, ich habe keine Tochter.
5. ▶ ________________
   ◁ Doch, ich habe einen Computer.
6. ▶ ________________
   ◁ Ja, ich reise viel.

Eine Spezialität aus Hamburg

Seite 66/67	Aufgabe 1–5

1 Wie heißen die Dinge?

2 Mahlzeiten. Wann isst und trinkt man was in Deutschland?

Frühstück **Mittagessen** **Abendessen**

______________	______________	______________
Brot, Wurst, Käse, Salat, Bier, Mineralwasser, Apfelsaft	Brot, Kaffee, Tee, Milch, Eier, Marmelade, Honig, Käse, Wurst	Suppe, Fisch, Fleisch, Gemüse, Kartoffeln, Salat, Mineralwasser, Apfelsaft

3 Hier ist alles falsch! Machen Sie es richtig.

~~kocht~~	legt	schneidet	kocht	salzt	brät

1. Herr Opong ~~salzt~~ *kocht* ________ Kaffee.
2. Er pfeffert und ~~wäscht~~ ________ den Fisch.
3. Er ~~wäscht~~ ________ eine Suppe.
4. Er ~~pfeffert~~ ________ das Fleisch in den Topf und ~~schält~~ ________ es.
5. Er ~~brät~~ ________ die Zitronen klein.

4 Pronomen. Schreiben Sie Sätze.

essen

der Fisch *Ich esse ihn.*

das Brot ________

die Suppe ________

die Tomaten ________

trinken

die Getränke ________

der Saft ________

die Milch ________

das Bier ________

5 Jetzt oder später?

1. Liest du die Zeitung jetzt? Nein, ich lese *sie* ________ später.
2. Hörst du die Musik jetzt? Nein, ich höre ________ später.
3. Trinken wir den Tee jetzt? Nein, wir trinken ________ später.
4. Machst du die Aufgaben jetzt? Nein, ich mache ________ später.
5. Lernst du die Grammatik jetzt? Nein, ich lerne ________ später.
6. Essen wir den Kuchen jetzt? Nein, wir essen ________ später. Ich habe jetzt keine Zeit!

6 Ergänzen Sie das Pronomen (Akkusativ).

1. Das Schiff fährt in den Hafen. Martin Miller beobachtet *es* ________.
2. Frau König kocht einen Tee und trinkt ________.
3. Lena und Jakob spielen. Ihr Vater fotografiert ________.
4. Clemens braucht die Zutaten für die Suppe. Er kauft ________.
5. Martin Miller bestellt eine Aalsuppe und isst ________.
6. Clemens schneidet das Fleisch und brät ________.
7. Das ist der „Michel", sehen Sie ________ nicht?
8. Da geht Andrea Solling-Raptis, kennst du ________ nicht?

7 Im Kaufhaus: Herr Opong kauft nichts. Was sagt er?

1. Der Verkäufer: Kaufen Sie den Topf!
   Clemens Opong: Nein danke, ich möchte keinen Topf kaufen.
   Ich brauche ihn nicht.
2. Der Verkäufer: Kaufen Sie zehn Messer! Nur fünfundzwanzig Euro!
   Clemens Opong: Nein danke, ich möchte keine Messer kaufen.
   Ich ___
3. Der Verkäufer: Kaufen Sie das Kochbuch! Es ist ganz neu!
   Clemens Opong: Nein danke, ich möchte kein Kochbuch kaufen.
   ___
4. Der Verkäufer: Kaufen Sie die Teller! Sie sind sehr schön!
   Clemens Opong: Nein danke, ich möchte keine Teller kaufen.
   ___
5. Der Verkäufer: Kaufen Sie die Schokoladentorte! Sie ist sehr gut!
   Clemens Opong: Nein danke, ich möchte keine Schokoladentorte kaufen.
   ___

Ich habe alles. Ich bin doch Koch von Beruf.

8 Ein Rezept. Wie kocht man eine Gemüsesuppe? Schreiben Sie bitte.

Gemüsesuppe
Zuerst die Kartoffeln waschen und schälen.
Die Kartoffeln klein schneiden und in die Brühe legen.
Dann den Lauch waschen und klein schneiden.
Die Karotten waschen, schälen und auch klein schneiden.
Das ganze Gemüse zusammen kochen.
Zum Schluss die Kräuter in die Suppe geben und die Suppe salzen und pfeffern.

Zuerst wäscht man die Kartoffeln und schält sie. Man schneidet sie klein und

Jetzt kennen Sie Leute in Hamburg!

Seite 68	Aufgabe 1–2

1 Martin Miller macht Interviews und fragt viele Leute: „Ohne wen machen Sie nie Urlaub?“

a) Hier sind die Antworten. Bitte ergänzen Sie den Possessivartikel.

1. Andrea Solling-Raptis und Kostas Raptis: „Ohne *unsere* Kinder.“
2. Frau König: „Ohne ________ Freundinnen.“
3. Clemens Opong: „Ohne ________ Frau.“
4. Herr und Frau Daume: „Ohne ________ Sohn Timo.“
5. Torsten Troll: „Ohne ________ Schwester Tanja.“
6. Tanja Troll: „Ohne ________ Hund!“

b) Was schreibt Martin Miller in seine Reportage? Ergänzen Sie den Possessivartikel.

1. Andrea Solling-Raptis und Kostas Raptis machen nie Urlaub ohne *ihre* Kinder.
2. Frau König macht nie Urlaub ohne ________ Freundinnen.
3. Clemens Opong macht nie Urlaub ohne ________ Frau.
4. Herr und Frau Daume machen nie Urlaub ohne ________ Sohn Timo.
5. Torsten Troll macht nie Urlaub ohne ________ Schwester Tanja.
6. Tanja Troll macht nie Urlaub ohne ________ Hund.

2 Ohne was geht es nicht?

~~Topf~~	Radio	Karten	Ball	Fotoapparat

1. *Ohne Topf* ________________ kann man nicht kochen.
2. ________________ kann man nicht fotografieren.
3. ________________ kann man nicht Fußball spielen.
4. ________________ kann man nicht Musik hören.
5. ________________ kann man nicht Karten spielen.

3 Was ist wofür? Ergänzen Sie bitte den bestimmten Artikel.

1. Wofür ist der Zucker? Für *den* Kaffee.
2. Wofür sind die Kräuter? Für ________ Kartoffelsuppe.
3. Wofür ist das Interview? Für ________ Zeitung.
4. Wofür sind die Computerspiele? Für ________ Computer.
5. Wofür ist die Schokolade? Für ________ Kuchen.

4 Kostas kauft ein. Was ist für wen?

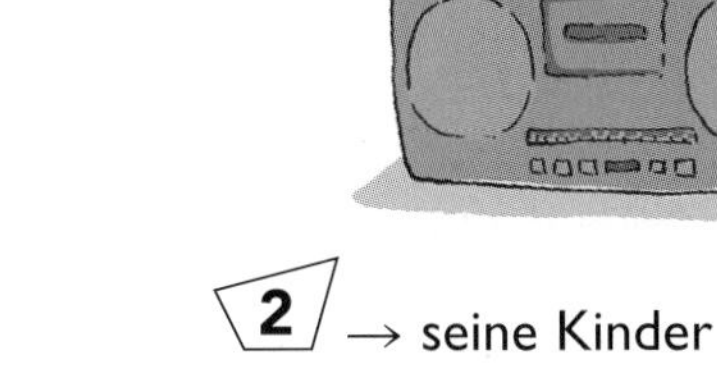
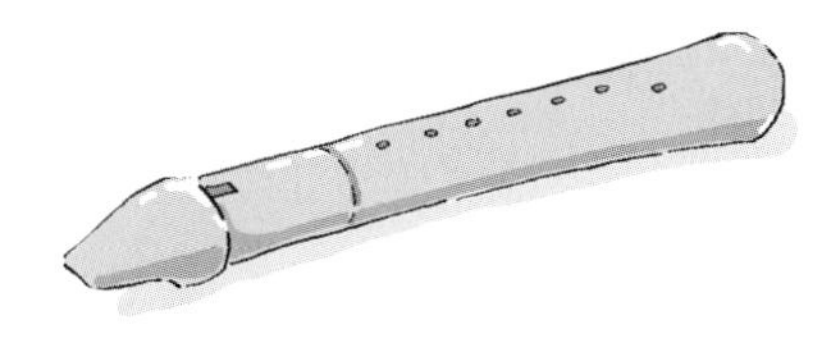

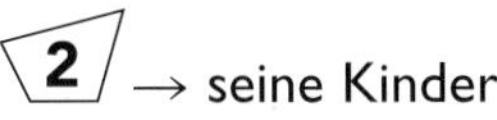

1 → seine Frau Andrea
2 → seine Kinder
3 → sein Sohn Jakob

4 → seine Tochter Lena
5 → seine Eltern
6 → sein Freund Thomas

1. *Die Bücher sind für seine Frau Andrea.* ______________________
2. ____
3. ____
4. ____
5. ____
6. ____

5 *Für wen oder wofür?*

1. *Für wen* möchte die Großmutter ein Computerspiel kaufen? – Für Sebastian.
2. __________ brauchst du die Kartoffeln? – Für eine Kartoffelsuppe natürlich.
3. __________ ist das Wörterbuch? – Für Pablo.
4. __________ ist der Apfelsaft? – Für Timo Daume.
5. __________ braucht Frau Mainka die Fotos? – Für das Casting.
6. __________ möchte Frau König Geld haben? – Für ihre Reisen.

6 Der kleine Jakob fragt seinen Vater. *Für wen oder wofür?*

1. Jakob: *Wofür* ist das Rezept?
   Kostas: Für eine Gemüsesuppe.
2. Jakob: __________ brauchst du das Gemüse?
   Kostas: Auch für die Gemüsesuppe.
3. Jakob: __________ braucht man den Topf?
   Kostas: Man kocht das Gemüse.
4. Jakob: __________ kochst du das Abendessen?
   Kostas: Für dich, Lena und deine Mama.
5. Jakob: __________ ist der Kaffee?
   Kostas: Für die Eltern. Für Kinder ist Kaffee nicht gut.
6. Jakob: __________ ist die Schokolade?
   Kostas: Nicht nur für dich allein!

1 Im Café. Die Kellnerin fragt: „Für wen ist das Eis?"

ich — Für *mich* !

du — Für ______!

er — Für ______!

sie — Für ______!

wir — Für ______!

ihr — Für ______!

Sie — Für ______!

sie — Für ______!

2 *mich, dich, uns, euch*. Ergänzen Sie bitte.

1. ▶ Wir gehen heute Nachmittag ins Café Schmidt.
   ◁ Gut, dann treffe ich *euch* dort.
2. ▶ Wir sind heute Abend zu Hause.
   ◁ Gut, dann besuche ich ______.
3. ▶ Hallo, wo seid ihr?
   ◁ Hier! Siehst du ______ nicht?
4. ▶ Hier ist es schön. Fotografierst du ______ mal?
   ◁ Dich und Anna? Ja, natürlich fotografiere ich ______.
5. ▶ Kennst du ______ nicht? Ich bin dein Onkel Bill aus Amerika!
   ◁ Ah ja, natürlich kenne ich ______.
6. ▶ Ich komme morgen nach Kassel.
   ◁ Besuchst du ______?

3 Lena Raptis erzählt ihren Tagesablauf. Ergänzen Sie bitte.

Morgens weckt *mich* (1) meine Mutter. Dann weckt sie meinen Bruder und macht Frühstück für ______ (2). Sie bringt ______ (3) in den Kindergarten. Dort treffe ich meine Freundin Maria und sage: „Ich besuche ______ (4) heute!" Meine Mutter bereitet das Mittagessen für ______ (5) vor. Dann sagt sie: „Jetzt habe ich Zeit für ______ (6)!" Wir essen und spielen zusammen. Dann besuche ich Maria. Abends geht meine Mutter in ihren Unterricht. Mein Vater macht das Abendessen für ______ (7) drei und bringt meinen Bruder und ______ (8) ins Bett.

4 Im Deutschkurs. Ergänzen Sie bitte: Akkusativ oder Nominativ?

1. ▶ Machen wir Satz 1 zusammen?
   ◁ Ja, gut. Ich ______ lese ihn ______ und du ______ schreibst ihn ______.
2. ▶ Hast du keinen Bleistift?
   ◁ Doch, aber ______ finde ______ nicht. Hast du einen Bleistift für ______?
3. ▶ Und wo ist dein Wörterbuch?
   ◁ ______ bringe ______ morgen mit.
4. ▶ Verstehst du die Aufgabe?
   ◁ Nein, ______ verstehe ______ auch nicht.
5. ▶ Müssen wir die Wörter schreiben?
   ◁ Ja, ______ müsst ______ schreiben und buchstabieren.
6. ▶ Anna, wie schreibt man Souvenir?
   ◁ Schläfst du, Anna? Die Lehrerin fragt ______ etwas!
7. ▶ Lesen Sie bitte den Text noch einmal.
   ◁ Gerne, ______ ist sehr interessant.
8. ▶ Ist Nina heute nicht da?
   ◁ Nein, ______ muss heute arbeiten.
9. ▶ Und wir kommen morgen nicht.
   ◁ Oh je, ohne ______ ist der Deutschkurs nicht schön.

5 Urlaub in Wien. Verbessern Sie den Text. Nehmen Sie Pronomen.

Frau König macht Urlaub in Wien. Dort kann man viel besichtigen: die Fußgängerzone, den Stephansdom, die Ringstraße, das Burgtheater, den Heldenplatz …

Frau König geht zuerst ins Zentrum. Dort sucht Frau König (1) die Fußgängerzone, aber sie findet die Fußgängerzone (2) nicht sofort. Sie fragt eine Frau, aber sie versteht die Frau (3) nicht. Deshalb braucht Frau König einen Stadtplan. Sie geht in einen Buchladen und kauft den Stadtplan (4) dort. Endlich findet sie die Fußgängerzone. Dann geht sie weiter zum Stephansplatz und beobachtet den Stephansplatz (5) lange: Es gibt sehr viele Touristen, und die Touristen (6) fotografieren den Stephansdom. Auch Frau König fotografiert den Stephansdom (7). Frau König (8) findet den Stephansdom (9) sehr schön. Jetzt möchte sie eine Pause machen. Sie geht ins Kaffeehaus. Frau König bestellt eine „Mélange", eine Wiener Kaffee-Spezialität. Der Kellner bringt die Mélange und ein Glas Wasser. Dann sucht Frau König eine Zeitung und liest die Zeitung (10).

Danach geht Frau König wieder in die Fußgängerzone. Dort sieht sie ein Souvenir und kauft das Souvenir (11) für ihre Tochter: Sie nimmt für ihre Tochter (12) ein Buch über Wien mit. Es gibt auch Postkarten und Frau König kauft die Postkarten (13) für ihre Freundinnen.

Abends ist sie sehr müde. Sie sucht ihr Hotel, findet das Hotel (14) endlich und geht schnell ins Bett.

1. sie ______
2. ______
3. ______
4. ______
5. ______
6. ______
7. ______
8. ______
9. ______
10. ______
11. ______
12. ______
13. ______
14. ______

Lektion 6

Ortstermin Leipzig

Seite 70/71	Aufgabe 1–3

1 Die Einladung. Was passt?

Klassentreffen ~~Einladung~~ Programm Treffpunkt Kaffeepause Feiern Musik

Abi 90

Einladung

____

am Samstag, 15. Juli 2000, in Leipzig

____

von 15 bis 18 Uhr: Stadtspaziergang

______________: Augustusplatz, Brunnen

16 Uhr: ______________ im Café Riquet

ab 19.30 Uhr: ______________ mit Essen, Trinken

und ______________

Ort: Gosenschenke „Ohne Bedenken“

(Menckestraße 5)

2 Schreiben Sie bitte Wörter. Was passt zusammen?

Kaffee-	-treffen, das	*die Kaffeepause*
Schokoladen-	-ende, das	______________
Klassen-	-haus, das	______________
Stadt-	-punkt, der	______________
Treff-	-torte, die	______________
Wochen-	-pause, die	______________
Kranken-	-spaziergang, der	______________

3 Lesen Sie die Einladung (S. 70) noch einmal. Richtig (r) oder falsch (f)?

1. Das Abitur findet am Samstag, 15. Juli 2000, in Leipzig statt. ______ r ~~f~~
2. Die Klasse macht von 15 bis 18 Uhr einen Stadtspaziergang. ______ r f
3. Der Treffpunkt ist die Gosenschenke. ______ r f
4. Um 19.30 Uhr gibt es Essen und Trinken. ______ r f
5. Das Klassentreffen liegt zehn Jahre zurück. ______ r f

4 W-Wörter. Bitte fragen Sie.

1. *Wann findet das Klassentreffen statt?*
   Das Klassentreffen findet am Samstag, 15. Juli 2000, statt.
2. ______
   Das Klassentreffen ist in Leipzig.
3. ______
   Das Abitur liegt zehn Jahre zurück.
4. ______
   Alle gehen um 16 Uhr ins Café Riquet.
5. ______
   Sie gehen um 19.30 Uhr in die Gosenschenke.

5 Zwei Telefongespräche. Bitte ergänzen Sie.

~~Hier ist Karin.~~ Vielen Dank und auf Wiederhören. Und wann?
Kann ich bitte Jens sprechen? Dann bis Dienstag. Tschüs. Guten Tag, Frau Marek.

▶ Martin Hanke.
◁ Hallo, Martin.
Hier ist Karin. ______ Du, ich habe eine Frage. Hast du am Dienstag Zeit?
▶ Ja, warum?
◁ Ich möchte gern ein bisschen feiern. Kommst du?
▶ Ja, natürlich. ______
◁ So um 20 Uhr.
▶ Gern, vielen Dank für die Einladung.
◁ Bitte, bitte. ______
▶ Tschüs.

● Marek.
◁ ______ Hier ist Karin Pollok.
______
● Jens ist leider nicht zu Hause. Er ist heute in Berlin.
◁ Kann ich ihn vielleicht morgen sprechen?
● Ja, ich glaube, er ist abends zu Hause.
◁ ______
● Auf Wiederhören.

6 Die Gosenschenke „Ohne Bedenken“. Fünf Situationen: Wohin gehen Sie?

Besitzer Dr. Hartmut Hennebach
04155 Leipzig / Gohlis, Menckestr. 5 / Poetenweg 6
2 km nördlich vom Zoo,
3 km nord-westlich vom Hauptbahnhof
Tel. / Fax 0341/5662360
Tel. 0172/3413251

Wir laden ein

Gaststube:	ca. 60 Plätze gemütlich-rustikal und original-getreu um 1900! Täglich 18 bis 1 Uhr geöffnet
Bierkeller:	ca. 15 bis 20 Plätze altes Gewölbe, historische Wendeltreppe, heiße Musik! Montag bis Samstag 20 bis 1 Uhr geöffnet
Biergarten:	bis 500 Plätze mit 100-jährigem Baumbestand, einmalig in Leipzig, idyllisch! April bis September täglich 12 bis 24 Uhr geöffnet
Vereinszimmer:	bis 35 Plätze gemütlich-rustikal bestens geeignet für Familienfeiern, Klassentreffen, Vereinsfeiern ...

1. Samstag, 15. Juli, 19.30 Uhr, 30 Personen:
   Sie haben ein Klassentreffen.
   Sie gehen in das *Vereinszimmer*.

2. Samstag, 21 Uhr, 5 Personen: Sie möchten Musik hören und Bier trinken.
   Sie gehen in den ______________.

3. Sonntag, 19 Uhr: Sie und Ihre Freunde möchten gemütlich essen.
   Sie gehen in die ______________.

4. Sonntag, 15 Uhr, 20 Personen: Die Groß-mutter hat Geburtstag, Sie möchten feiern.
   Sie gehen in das ______________.

5. Mittwoch, 12. Juli, 12 Uhr, 10 Personen:
   Das Wetter ist schön. Sie möchten im Garten sitzen.
   Sie gehen in den ______________.

7 Lesen Sie den Text „Was ist Gose?“ (S. 71). Was ist richtig? Markieren Sie bitte.

1. Die Gose ist
   - ☐ ein Bier.
   - ☐ eine Rose.
   - ☐ ein Wein.

2. Die Gose kommt aus
   - ☐ Gosen.
   - ☐ Goslar.
   - ☐ Leipzig.

3. Die Gose ist
   - ☐ 100 Jahre alt.
   - ☐ 1000 Jahre alt.
   - ☐ 1738 Jahre alt.

4. Die Gosenschenke „Ohne Bedenken“ ist
   - ☐ in Dänemark.
   - ☐ in Deutschland.
   - ☐ in Frankreich.

Das Klassentreffen

Seite 72	Aufgabe 1

1 Die Einladung

a) Bitte ordnen Sie den Brief.

R *Herzliche Grüße*
Steffi, Jens und Kevin

T *Gestern haben wir zusammen im Café gesessen. Wir haben unser Klassentreffen geplant. Es war wie früher: Jens hat drei Stück Apfelkuchen gegessen, Steffi hat wie immer viel Milchkaffee getrunken und ich meinen Tee. Es war lustig, wir hatten viele Ideen und haben viel gelacht.*

I *Jetzt ist es so weit: Zehn Jahre sind vorbei. Viele Mitschüler wohnen nicht mehr in Leipzig. Wir drei – Steffi, Jens und ich – sind immer noch hier. Wir haben Glück gehabt und haben hier eine Arbeit gefunden.*

U *In Leipzig hat es viele Veränderungen gegeben. Aber keine Angst: Es ist immer noch unser Leipzig. Hoffentlich könnt ihr alle kommen!*

A *Liebe Leute,*

B *Abi 90: Wisst ihr noch? Da haben wir Abitur gemacht. Wir haben damals gesagt: „2000 machen wir ein Klassentreffen."*

Lösungswort: A ☐ ☐ ☐ ☐ ☐

b) Alle Briefteile haben eine Überschrift. Was passt?

1. Tschüs! Auf Wiedersehen!
2. Leipzig früher und heute
3. Essen, trinken und planen
4. Leben und arbeiten in Leipzig
5. Abi 90: Das waren wir!
6. Hallo! Guten Tag!

1	R
2	
3	
4	
5	
6	

Seite 73	Aufgabe 2–4

1 Infinitiv und Partizip. Was passt zusammen?

①	essen	A	gesessen	1	E
②	finden	B	gegeben	2	
③	haben	C	geplant	3	
④	lachen	D	gefunden	4	
⑤	geben	E	gegessen	5	
⑥	machen	F	gehabt	6	
⑦	planen	G	gemacht	7	
⑧	sitzen	H	gelacht	8	
⑨	trinken	I	getrunken	9	

2 Perfekt. Drei Verben. Was passt? Bitte markieren Sie.

1. Hast du einen Spaziergang — gefunden? / (gemacht?) / gesagt?
2. Meine Mutter hat unseren Urlaub — gegessen. / gelacht. / geplant.
3. Martin hat viel Tee — gefunden. / gegessen. / getrunken.
4. Meine Freunde haben gestern keine Zeit — gehabt. / gemacht. / geplant.
5. Ich habe lang im Zug — gefunden. / gehabt. / gesessen.
6. Maria hat in Berlin eine Arbeit — gefunden. / gelacht. / gesessen.

3 Viel gemacht? Ergänzen Sie bitte.

Ich	*habe*	viel	*gemacht*.
	Hast	du auch viel	______?
Ja, er	______	viel	gemacht.
Also: Wir	______	viel	______.
	______	ihr viel	______?
Sie	______	wirklich viel	______.
Und was	______	du	______?
Nichts! Nur geschlafen!			

4 Was haben Steffi, Kevin und Jens gemacht?

lachen ~~**sitzen**~~ **planen** **trinken** **essen**

1. Sie *haben* im Café *gesessen*.

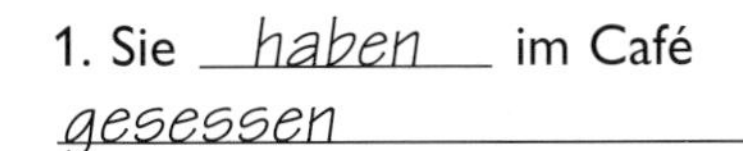

2. Sie __________ Kuchen __________.
3. Steffi __________ Kaffee __________.

4. Sie __________ viel __________.
5. Sie __________ das Klassentreffen __________.

5 Bitte schreiben Sie die Sätze in die Tabelle.

~~Philipp hat eine Reise nach Tunesien~~ geplant. Er hat Geld gefunden.
Hat er gestern Wein getrunken? Was hat er gestern gegessen? Er hat gelacht.

	Verb	Satzmitte	Satzende
Philipp	*hat*	*eine Reise nach Tunesien*	*geplant.*

6 Schreiben Sie bitte Sätze im Perfekt.

1. Philipp und Nina / planen / Reise / eine / . *Philipp und Nina haben eine Reise geplant.*
2. machen / sie / was / ? __________
3. im Restaurant / sitzen / sie / . __________
4. sie / gut / essen / ? __________
5. gut / essen / und / sie / trinken / . __________
6. den / finden / Bahnhof / sie / ? __________
7. den / finden / Bahnhof / sie / . __________
8. Reise / die / sie / machen / . __________

Treffpunkt Augustusplatz

Seite 74	Aufgabe 1

1 Präsens: e oder *i*? Ergänzen Sie die Formen von *werden*.

ich w_e_rde
du w____rst
er • sie • es w____rd
wir w____rden
ihr w____rdet
sie • Sie w____rden

2 *werden*. Was passt?

① Hast du Geburtstag? Wie alt wirst du denn?
② Peggy möchte nicht essen.
③ Timo fotografiert gern.
④ Es ist schon 23 Uhr.
⑤ Wir müssen am Wochenende arbeiten.

A Er möchte Fotograf werden.
B Das wird anstrengend.
C Ich werde 35.
D Vielleicht wird sie krank.
E Langsam werde ich müde.

1	C
2	
3	
4	
5	

3 *werden* oder *sein*? Markieren Sie bitte.

1. Martin Miller reist viel. Er (ist) / wird Journalist.
2. Anna ist Studentin. Sie möchte Ärztin sein. / werden.
3. Nina hat morgen Geburtstag. Sie ist / wird 22.
4. Heute kann Pablo nicht in den Deutschkurs gehen. Er ist / wird krank.
5. Der Bus kommt nicht. Langsam bin / werde ich nervös.
6. Herr Bauer hat viel gearbeitet. Jetzt ist / wird er müde.

4 *gehen* und *fahren*. Kombinieren Sie und schreiben Sie Sätze im Perfekt.

Fahrrad — fahren
spazieren
nach Leipzig
zu Fuß
Zug
ins Café
nach Hause

fahren
gehen

Dennis ist gestern Fahrrad gefahren.

Seite 74/75	Aufgabe 2–5

1 Alles falsch! Korrigieren Sie bitte die Postkarte von Elisabeth.

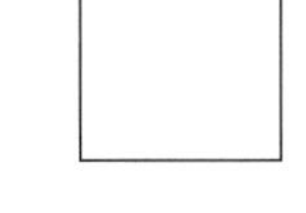

Erfurt, 13. Juli

Lieber Kevin,

vielen Dank für die Einladung. Leider kann ich nicht kommen. Meine Großmutter hat Geburtstag getroffen (1), sie ist 85 geblieben (2)! Und deshalb bin ich nach Erfurt gewesen (3). Wir haben schön gesehen (4) und ich habe endlich wieder viele Freunde und Verwandte gefeiert (5). Und jetzt bin ich noch ein paar Tage in Erfurt geworden (6). Wir sind auch schon in Eisenach gefahren (7) und haben die Wartburg gehabt (8).

Viele Grüße und hoffentlich bis bald,
deine Elisabeth

Herrn
Kevin Wagner
Nikolaistraße 9

04109 Leipzig

1. gehabt
2. ______
3. ______
4. ______
5. ______
6. ______
7. ______
8. ______

2 Perfekt: *haben* oder *sein*? Ordnen Sie bitte.

~~fahren~~	essen	finden	trinken	werden	haben
gehen	lachen	fliegen	sein	treffen	bleiben

sein	haben
fahren,	

3 *haben* oder *sein*? Ergänzen Sie bitte.

Urs *ist* ________ nach Bern geflogen. Seine Tante ________ Geburtstag gehabt. Zuerst ________ er das Haus in Bern nicht gefunden. Aber dann ________ er eine Verwandte getroffen. Die Verwandte ________ mit Urs zur Tante gefahren. Dort ________ alle schön gefeiert. Danach ________ Urs krank geworden, vielleicht ________ er zu viel gegessen. Deshalb ________ er bald wieder nach Hause geflogen und ________ nicht mehr in Bern geblieben. Leider ________ er die Altstadt von Bern nicht gesehen. Also muss er noch einmal nach Bern kommen!

4 Bitte schreiben Sie Sätze.

Ich Wir Peter Tina	hat ist haben sind bin habe	eine Arbeit nach Russland Freunde krank in Wien Glück Tee mit Milch	geflogen gefunden getrunken gehabt geblieben geworden getroffen

Peter hat Glück gehabt.

____

5 Das Klassentreffen in Leipzig. Beantworten Sie bitte die Fragen.

1. Was haben Kevin, Steffi und Jens im Café gemacht?
   Sie haben das Klassentreffen geplant, Kaffee getrunken und Apfelkuchen gegessen.
   (das Klassentreffen planen / Kaffee trinken und Apfelkuchen essen)
2. Warum sind Kevin, Steffi und Jens in Leipzig geblieben?
   ____
   (Glück haben / eine Arbeit finden)
3. Warum sind Tanja und Sascha nicht zum Klassentreffen gekommen?
   ____
   (nach Spanien fliegen / krank werden)
4. Warum ist Elisabeth nicht gekommen?
   ____
   (nach Erfurt fahren / Großmutter 85 werden)
5. Was hat Elisabeth in Erfurt gemacht?
   ____
   (Geburtstag feiern / nach Eisenach fahren)

Seite 76	Aufgabe 6–9

1 **Schreiben Sie die Partizipien in die Tabelle und ergänzen Sie den Infinitiv.**

~~gelacht~~ gehabt ~~gewesen~~ gesagt geblieben gesehen
geschlafen gefeiert geworden geflogen geschrieben gekauft

regelmäßig		unregelmäßig	
Partizip	**Infinitiv**	**Partizip**	**Infinitiv**
gelacht	*lachen*	*gewesen*	*sein*

2 ***kein*** **oder** ***nicht*****? Antworten Sie immer mit** ***nein*****.**

1. ▶ Haben Sie gut gegessen? ◁ Nein, *ich habe nicht gut gegessen.*
2. ▶ Haben Sie Wein getrunken? ◁ Nein, ______________________
3. ▶ Sind Sie nach Leipzig gefahren? ◁ Nein, ______________________
4. ▶ Haben Sie Geld gefunden? ◁ Nein, ______________________
5. ▶ Sind Sie krank geworden? ◁ Nein, ______________________
6. ▶ Haben Sie Freunde getroffen? ◁ Nein, ______________________

Stadtspaziergang durch Leipzig

Seite 77	Aufgabe 1–2

1 **Im Café. Bitte schreiben Sie einen Text.**

Kuchen Leipzig
Milchkaffee trinken sitzen
essen Café Riquet

Jahrgang „19 hundert 72“

Seite 78/79	Aufgabe 1–4

1 Jahreszahlen. Schreiben Sie bitte.

1. Neunzehnhundertsiebenundsechzig 1967
2. Neunzehnhundertdreiundfünfzig ______
3. Sechzehnhundertsieben ______
4. Zweitausenddreizehn ______
5. Zweitausendneunundzwanzig ______
6. 1794 ______
7. 2005 ______
8. 800 ______

2 Wortbildung

a) Wie heißt das Nomen?

arbeiten die Arbeit
heiraten ______
demonstrieren ______
frühstücken ______
spazieren gehen ______
studieren ______
fragen ______
antworten ______
reisen ______
unterrichten ______

b) Die Nomen sind neu. Aber Sie kennen die Verben. Bitte ordnen Sie zu.

bestellen	die Wäsche
besuchen	die Feier
waschen	der Besuch
besichtigen	die Bestellung
feiern	die Besichtigung
fliegen	der Gesang
singen	der Flug

3 Was passt zusammen?

① auf einen Kirchturm	A machen	1	E
② Abitur	B gehen	2	
③ in die Schule	C haben	3	
④ die S-Bahn	D sein	4	
⑤ keine Arbeit	E steigen	5	
⑥ geboren	F nehmen	6	

4 Verben auf *-ieren*. Schreiben Sie bitte die Sätze im Präsens.

1. Steffi, Jens und Kevin haben ein Klassentreffen organisiert.
   Steffi, Jens und Kevin organisieren ein Klassentreffen.
2. Herr Filipow hat Deutsch studiert.
   ______
3. Viele Menschen haben für den Frieden demonstriert.
   ______
4. Marlene Steinmann hat Menschen in Freiburg fotografiert.
   ______
5. Ich habe die Sätze nummeriert.
   ______
6. In Übung 2 haben wir Nomen und Verben kombiniert.
   ______

5 Lebenslauf. Was passt?

~~Abitur~~ Studium Spaziergang Schulabschluss Arbeit Heirat gefeiert Schule Wartburg geboren Klassentreffen

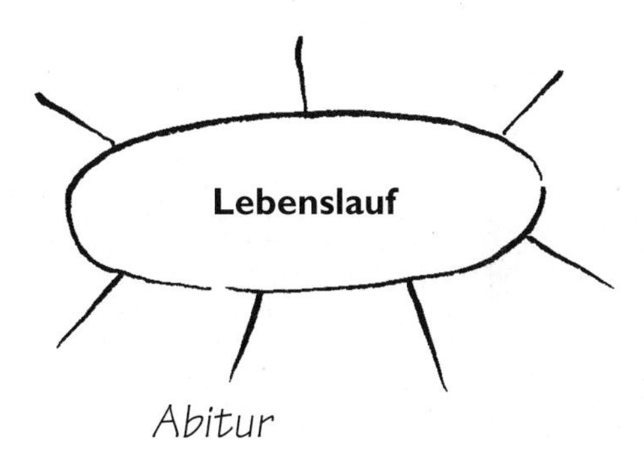

6 Noch ein Lebenslauf

a) Tabellarisch: Lesen Sie Tanjas Lebenslauf.

1971	geboren in Leipzig
1978–1982	Grundschule
1982–1990	Thomas-Schule
1990	Abitur
1990–1996	Studium in Frankfurt
1996–1997	arbeitslos
seit 1997	Fotografin
1998	Heirat
1999	Tochter Lena geboren
seit 1999	Hausfrau

b) Ausführlich: Was schreibt Tanja?

Ich bin 1971 in Leipzig geboren. Von 1978 bis 1982

______

______

______

7 Ihr Lebenslauf. Bitte schreiben Sie.

Lebenslauf

Passfoto

Name: ______________________

Adresse: ______________________

____

Geboren: am ______________ in ______________

Familienstand: ______________

Schulbildung: ______________________

____

____

____

Ausbildung / Studium: ______________________

____

____

____

Berufserfahrung: ______________________

____

____

____

Sprachkenntnisse: ______________________

Computerkenntnisse: ______________________

Interessen: ______________________

______________, den ______________

(Ort) (Datum)

____

(Unterschrift)

Kommen und gehen

Seite 80	Aufgabe 1–4

1 Uhrzeiten. Was ist gleich?

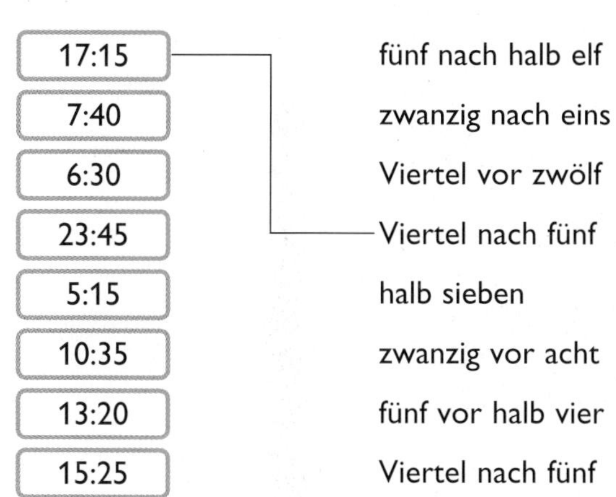

17:15	fünf nach halb elf
7:40	zwanzig nach eins
6:30	Viertel vor zwölf
23:45	Viertel nach fünf
5:15	halb sieben
10:35	zwanzig vor acht
13:20	fünf vor halb vier
15:25	Viertel nach fünf

2 Was ist später?

1. ☐ halb elf *oder* ☒ fünf nach elf?
2. ☐ Viertel nach sieben *oder* ☐ Viertel vor sieben?
3. ☐ fünf vor halb zwei *oder* ☐ halb zwei?
4. ☐ zehn nach halb zehn *oder* ☐ zehn nach zehn?
5. ☐ ein Uhr *oder* ☐ halb eins?
6. ☐ Viertel vor acht *oder* ☐ halb acht?

3 Wie heißt die offizielle Uhrzeit? Es gibt immer zwei Möglichkeiten.

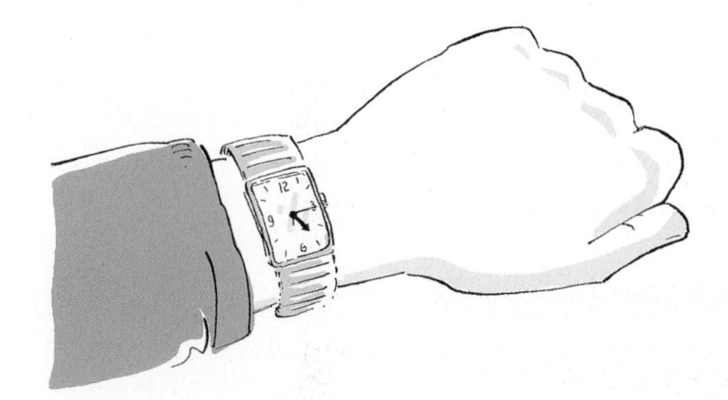

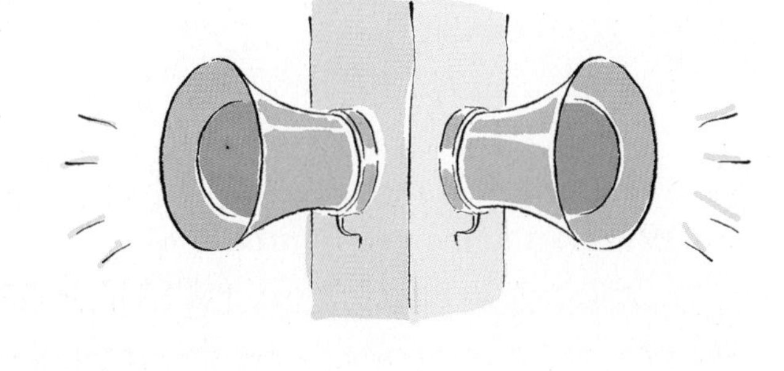

1. Viertel nach fünf — *5.15 Uhr / 17.15 Uhr*
2. halb sieben — ______
3. Viertel vor zwölf — ______
4. fünf vor sechs — ______
5. fünf nach halb elf — ______
6. zwanzig nach eins — ______

4 Das Fernsehprogramm. Was kommt wann?

Donnerstag, 11. Mai

ARD

15.00 Tagesschau
Nachrichten, Berichte, Wetter
15.45 Fußball
UEFA-Cup
17.55 Verbotene Liebe
Seifen-Oper

18.25 Marienhof
Seifen-Oper
18.54 Der Fahnder
Krimi-Serie
19.49 Das Wetter

19.56 Börse im Ersten

20.00 Tagesschau
Nachrichten, Berichte, Wetter
20.15 Fußball
UEFA-Cup
22.30 Tagesthemen
Nachrichten

Wann können Sie ... sehen?

1. Nachrichten	Um *15 Uhr, um 20 Uhr und um 22.30 Uhr.*	Um *drei, um acht und um halb elf.*
2. einen Krimi	Um	Um *kurz vor sieben.*
3. Fußball	Um	Um
4. eine Seifenoper	Um	Um
5. den Wetterbericht	Um	Um

5 Frau Schmidt muss ihre Zeit gut planen. Lesen Sie bitte den Text. Wann macht Frau Schmidt was?

Frau Schmidt möchte um drei Uhr nachmittags ihre Freundin im Café treffen. Zuerst muss sie noch Essen für die Kinder kochen, sie braucht 45 Minuten. Dann muss sie einkaufen, sie braucht 20 Minuten. Dann nimmt sie den Bus in die Stadt, er fährt 15 Minuten. Zum Café geht sie 10 Minuten zu Fuß. Frau Schmidt und ihre Freundin sitzen zwei Stunden im Café. Dann gehen sie nach Hause.

1. Frau Schmidt trifft ihre Freundin: um *drei Uhr nachmittags (15 Uhr)*.
2. Sie kocht: um ______________________.
3. Sie kauft ein: um ______________________.
4. Sie nimmt den Bus: um ______________________.
5. Frau Schmidt und ihre Freundin gehen nach Hause: um ______________________.

6 Ergänzen Sie die Uhrzeiten.

Morgens um *fünf vor sechs* (5.55)
kommt die kleine Hex';

Morgens um __________________ (6.30)
kocht sie Gelbe Rüben;

Morgens um __________________ (7.45)
hat sie Kaffee gemacht;

Morgens um __________________ (9.15)
geht sie in die Scheun';

Morgens um __________________ (9.30)
holt sie Holz und Spän';

feuert an um elf,
kocht dann bis um zwölf

Fröschebeine, Krebs und Fisch.
Schnell ihr Kinder, kommt zu Tisch.

7 Zeitangaben: *ab, am, um, seit, von … bis* oder ohne Präposition. Ergänzen Sie bitte.

1. Wir sind zusammen in die Schule gegangen und haben __________ 1990 Abitur gemacht.
2. Deshalb möchten wir __________ 15. Juli 2000 ein Treffen machen.
3. Treffpunkt ist __________ 15 Uhr am Augustusplatz in Leipzig.
4. __________ 15 Uhr __________ 18 Uhr machen wir einen Stadtspaziergang.
5. __________ 16 Uhr gehen wir ins Café Riquet.
6. __________ 19.30 Uhr feiern wir.
7. Die Feier dauert bestimmt lange, wir haben uns ja schon __________ 1990 nicht mehr gesehen.
8. Aber das macht nichts. __________ Sonntag können wir alle lang schlafen.

Lektion 7

Ein Hotel in Salzburg

Seite 82/83	Aufgabe 1–3

1 Orte und Berufe im Hotel Amadeus. Bitte ordnen Sie zu.

~~das Zimmermädchen~~	~~die Bar~~	das Einzelzimmer	die Empfangschefin
das Schwimmbad	die Köchin	der Hotelier	der Frühstücksraum
die Sauna	der Kellner	das Bad	der Musiker

Orte	Berufe
die Bar, ______	*das Zimmermädchen,* ______
______	______
______	______
______	______
______	______
______	______

2 Im Hotel Reitinger Hof in Salzburg. Bitte ergänzen Sie.

~~Einzelzimmer~~	Empfangschefin	Doppelzimmer	Bad
Zithermusik	Gäste	Koch	Bar
Restaurant			

Herr Reitinger und seine Mitarbeiter begrüßen Sie herzlich im Hotel Reitinger Hof. Unser Hotel hat Familienatmosphäre. Es ist klein; es hat vier *Einzelzimmer* und sechs ______. Alle Zimmer haben ______ und WC. Es gibt auch ein ______ für das Abendessen und eine kleine ______. Antonia Reitinger empfängt die Gäste. Sie ist unsere ______. Olga Smirnova und Beata Woschek machen die Betten und räumen die Zimmer auf. Unser ______ Franz Kuchler macht das Essen für die ______. Unser Kellner Karl Riedl bringt die Getränke. Abends macht Bruno Sonnleitner ______.

3 Interviews für die Schülerzeitung

„Cool“ ist die Schülerzeitung einer Hauptschule in Salzburg. Die Schülerinnen und Schüler möchten in ihrer Zeitung über Hotelberufe schreiben. Deshalb interviewen sie die Leute im Reitinger Hof.

1. ▶ Frau Reitinger, Sie sind die Empfangschefin. Sind Sie auch die Hotelbesitzerin?
   ◁ mein / Vater / Nein, / Hotelbesitzer / der / ist / . *Nein, mein Vater ist der Hotelbesitzer.*
2. ▶ Herr Reitinger. Sie sind also der Hotelbesitzer. Begrüßen und empfangen Sie auch Ihre Gäste?
   ◁ meine / empfange / Gäste / Ja, / auch / ich / . ____________________
3. ▶ Frau Smirnova und Frau Woschek. Sie arbeiten hier im Hotel als Zimmermädchen. Kochen Sie auch das Essen?
   ◁ wir / das / nicht / kochen / Nein, / Essen / . ____________________
4. ▶ Herr Kuchler. Sie sind der Hotelkoch. Servieren Sie auch das Essen?
   ◁ das / Herr / macht / Riedl / Nein, / Kellner / unser / . ____________________
5. ▶ Ach so. Herr Riedl, Sie sind der Kellner. Sie servieren das Essen. Bringen Sie auch die Getränke?
   ◁ die / serviere / Getränke / ich / auch / Natürlich / . ____________________
6. ▶ Herr Sonnleitner, Sie sind Musiker. Was machen Sie hier im Hotel?
   ◁ abends / Zither / spiele / im / Ich / Restaurant / . ____________________
   ▶ Vielen Dank für das Interview.

Arbeit und Freizeit

Seite 84/85	Aufgabe 1–6

1 Arbeit und Freizeit. Bitte sortieren Sie.

~~joggen~~ ~~Getränke verkaufen~~ Salzburger Nockerln essen für die Gäste kochen Hotelzimmer aufräumen Fahrrad fahren Freunde besuchen Zeitung lesen Hotelgäste empfangen Sport machen Fenster putzen unterrichten

Getränke verkaufen

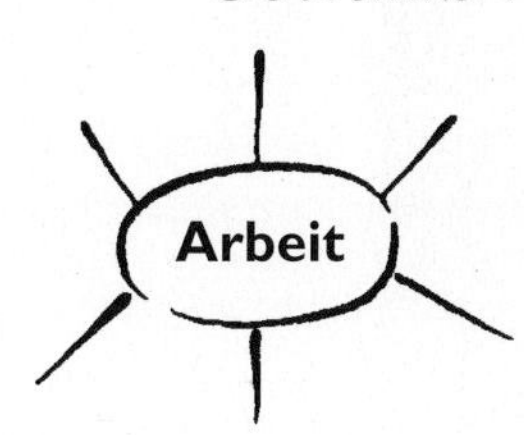

joggen

Freizeit

2 Was gehört zusammen? Bitte ordnen Sie zu.

~~auf-~~	-wechseln	ab-	-bereiten	ein-	-~~machen~~
vor-	-fangen	statt-	-bringen		
aus-	-fahren	an-	-finden	mit-	-laden

1. aufmachen
2. ____________
3. ____________
4. ____________
5. ____________
6. ____________
7. ____________
8. ____________

3 Ein Arbeitstag im Hotel Amadeus. Ergänzen Sie und schreiben Sie den Infinitiv.

~~an~~ ab auf vor statt aus mit ein

1. Im Hotel Amadeus fängt der Tag früh an. → anfangen
2. Die Gäste fahren am Morgen ________. → ____________
3. Die Zimmermädchen wechseln die Handtücher ________. → ____________
4. Dann machen sie die Fenster ________. → ____________
5. Die neuen Gäste bringen viele Koffer ________. → ____________
6. Das Abendessen findet im Restaurant ________. → ____________
7. Am Abend lädt Barbara Valentina in den Biergarten ________. → ____________
8. Toni Walketseder bereitet das Frühstück ________. → ____________

4 Was machen Menschen im Hotel? Bitte schreiben Sie Sätze.

Mitarbeiter:	*Ponte*	*Nováková*	*Hinterleitner*	*Mikulski*	*Walketseder*
Frühschicht					
6.00–8.00 h					Frühstück machen
8.00–10.00 h	Betten machen (Zimmer Nr. 1–5)				Mittagessen vorbereiten
Pause					
11.00–13.00 h	Handtücher auswechseln			Mittagessen servieren	
13.00–15.00 h	Doppelzimmer Nr. 7 u. 8 aufräumen				
Spätschicht					
15.00–17.00 h					Abendessen vorbereiten
17.00–19.00 h				Abendessen servieren	
Pause					
20.00–22.00 h			Zither spielen	Getränke bringen	
22.00–0.00 h					

1. Von 6.00 Uhr bis 8.00 Uhr *macht Herr Walketseder Frühstück.*
2. Von 8.00 Uhr bis 10.00 Uhr ______
3. Von 8.00 Uhr bis 10.00 Uhr ______
4. Von 11.00 Uhr bis 13.00 Uhr ______
5. Von 11.00 Uhr bis 13.00 Uhr ______
6. Von 13.00 Uhr bis 15.00 Uhr ______
7. Von 15.00 Uhr bis 17.00 Uhr ______
8. Von 17.00 Uhr bis 19.00 Uhr ______
9. Von 20.00 Uhr bis 22.00 Uhr ______
10. Von 20.00 Uhr bis 0.00 Uhr ______

5 Bitte schreiben Sie die richtigen Partizipien.

1. aufmachen — Der Kellner hat das Fenster *aufgemacht*.
2. aufräumen — Barbara hat das Zimmer ______.
3. aufstehen — Der Gast ist früh ______.
4. auswechseln — Die Zimmermädchen haben die Handtücher ______.
5. ankommen — Die Gäste sind gestern ______.
6. mitbringen — Valentina hat Apfelkuchen ______.
7. abfahren — Bist du schon am Freitag ______?

6 Welches Verb ist richtig? Bitte bilden Sie das Partizip.

1. ankommen / anfangen — Die Gäste sind sehr spät angekommen.
2. anfangen / aufräumen — Ihr habt das Zimmer noch nicht ________.
3. auswechseln / aufmachen — Simon hat das Fenster ________.
4. mitbringen / mitfahren — Wir haben viele Souvenirs aus Salzburg ________.
5. aufstehen / aufmachen — Toni ist heute ziemlich spät ________.
6. vorbereiten / vorlesen — Jan hat die Speisekarte ________.

7 Tatjana Borissova hat heute ihre Arbeit als Zimmermädchen angefangen. Deshalb hat Valentina Ponte viele Fragen. Bitte schreiben Sie.

1. Zimmer aufräumen — Hast du schon die Zimmer aufgeräumt?
2. Betten machen — ________
3. Fenster aufmachen — ________
4. Handtücher auswechseln — ________
5. Gäste abfahren — Sind die ________
6. Gäste ankommen — ________
7. Brezeln mitbringen — ________
8. Kaffee kochen — ________

8 *Schon* oder *gerade*? Bitte ergänzen Sie.

1. ▶ Hast du schon Kaffee getrunken?
   ◁ Ich trinke gerade Kaffee, hier ist meine Tasse.
2. ▶ Kannst du mal schnell kommen?
   ◁ Nein, ich habe ________ keine Zeit.
3. ▶ Kommt der Bus noch?
   ◁ Nein, er ist ________ lange abgefahren.
4. ▶ Hast du mit Tante Heidi telefoniert?
   ◁ Jaja, ich habe sie ________ gestern angerufen.
5. ▶ Kennst du den Film „Casablanca"?
   ◁ Ja, ich habe den Film ________ dreimal gesehen!
6. ▶ Wo bleibst du denn?
   ◁ Ich lese ________ die Zeitung.

9 Das Jahr 2000 im Hotel Reitinger Hof. Ergänzen Sie die Verben im Perfekt.

1. (passieren) Im Jahr 2000 *ist* ______ im Hotel Reitinger Hof viel *passiert* ______.
2. (feiern) Herr Reitinger ______ seinen Geburtstag ______. (werden) Er ______ 60 Jahre alt ______. (stattfinden) Die Party ______ im Hotel ______.
3. (treffen) Franz Kuchler ______ seine Traumfrau ______. Sie lebt in Frankreich. (machen) Deshalb ______ er zwei Monate Urlaub in Frankreich ______.
4. (heiraten) Olga Smirnova ______ im Hotel ______. (kommen) Ihr Mann Sergej ______ aus Sibirien nach Österreich ______. (mitbringen) Er ______ auch seine Mutter ______.
5. (arbeiten, trinken) Karl Riedl ______ zu viel ______ und zu viel Kaffee ______. (sein) Deshalb ______ er lange krank ______.
6. (sein) Antonia Reitinger ______ Kandidatin bei einer Fernsehshow ______. (sprechen) Sie ______ dort über ihre Arbeit im Hotel ______.

Unterwegs nach Salzburg

Seite 86/87	Aufgabe 1–7

1 Das Wetter in Salzburg

a) Bitte schreiben Sie.

~~sonnig~~ bewölkt regnerisch windig

1. *Es ist sonnig.* 2. ______ 3. ______ 4. ______

b) Bitte kombinieren Sie.

1. Es ist sonnig.
2. Es ist regnerisch.
3. Es ist bewölkt.
4. Es ist windig.
5. Es wird warm.

A. Es gibt Regen.
B. Es sind Wolken am Himmel.
C. Die Sonne scheint.
D. Die Temperaturen steigen.
E. Der Wind weht.

1	*C*
2	
3	
4	
5	

2 Wie ist das Wetter in Österreich? Schreiben Sie einen Wetterbericht.

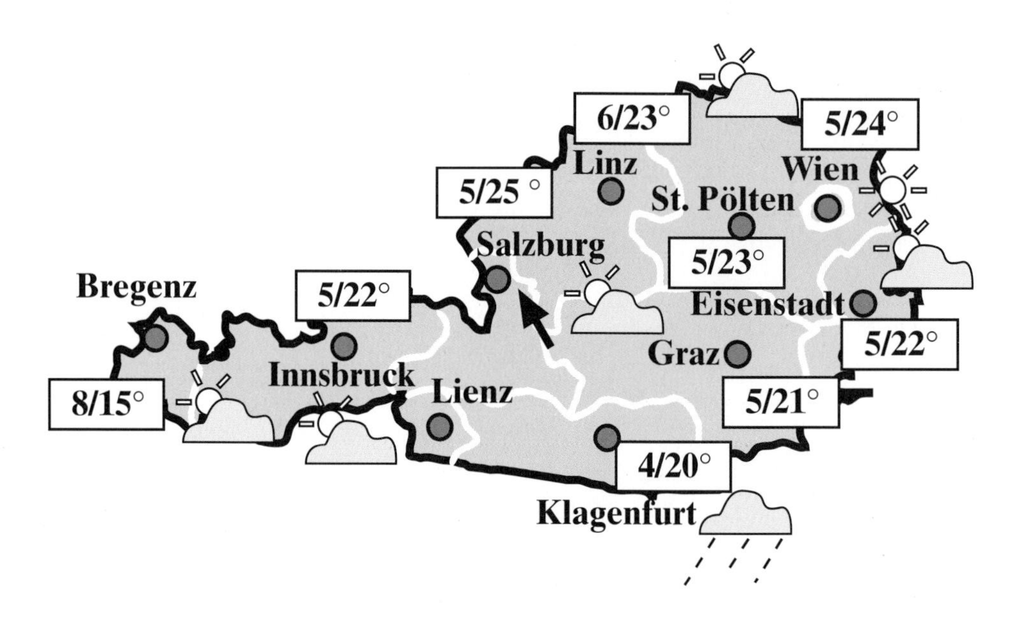

1. Salzburg	2. Klagenfurt	3. Innsbruck	4. Wien
Es ist bewölkt.	________	________	________
Die Temperatur	________	________	________
beträgt 25 °C.	________	________	________
Es ist windig.	________	________	________

3 Ein Wort passt nicht. Bitte markieren Sie.

1. ~~fotografieren~~ – ruhig – zentral – interessant
2. machen – empfangen – aufgestanden – auswechseln
3. Wind – Regenschirm – Wolken – Sonne
4. voll – groß – langsam – Sauna
5. Wetterbericht – Handtücher – Zimmer – Betten
6. erklären – bestellen – vergessen – anrufen

4 Was für ein Freitag! Judit Kovács erzählt. Ergänzen Sie die Verben.

bestellt ~~**empfangen**~~ **verstanden** **erklärt** **begonnen** **verloren** **vergessen**

1. Was für ein Freitag! Zuerst habe ich die neuen Gäste an der Rezeption nicht *empfangen*.
2. Dann habe ich den Gast aus Amerika nicht ________.
3. Danach habe ich den Stadtplan von Salzburg ________.
4. Deshalb habe ich den japanischen Gästen den Weg zum Mozarthaus nicht ________.
5. Dann habe ich für den Rentner aus Deutschland kein Taxi ________.
6. Und dann habe ich einen Brief ________, aber ihn im Computer ________.

5 *Entdecken* oder *erklären*? Bitte markieren Sie.

1. Kannst du mal die Spielregeln ☐ entdecken ☒ erklären?
2. Ich habe den Treffpunkt gleich ☐ entdeckt ☐ erklärt.
3. Die Lehrerin ☐ entdeckt ☐ erklärt die Grammatik noch einmal.
4. Kannst du die Aufgabe noch einmal ☐ entdecken ☐ erklären?
5. Jetzt habe ich den Kirchturm ☐ entdeckt ☐ erklärt.

6 Trennbar oder nicht?

a) Bitte markieren Sie.

	trennbar	untrennbar
1. Brezeln *mitbringen*	X	
2. den Text *vorlesen*		
3. die Hotelgäste *empfangen*		
4. die Leute *beobachten*		
5. die Handtücher *auswechseln*		
6. aus Wien *zurückkommen*		
7. die Familie *besuchen*		
8. die Getränke *bezahlen*		
9. Gemüse *einkaufen*		
10. den Weg *erklären*		
11. das Geld *vergessen*		
12. *anfangen*		

b) Bilden Sie Sätze im Perfekt.

1. Valentina: *Sie hat Brezeln mitgebracht.*
2. Die Lehrerin: ______
3. Herr Walketseder: ______
4. Martin Miller: ______
5. Die Zimmermädchen: ______
6. Herr und Frau Schuschnigg: ______
7. Clemens Opong: ______
8. Die Gäste: ______
9. Die Kundin: ______
10. Frau Kovács: ______
11. Frau Mainka: ______
12. Der Film, 20 Uhr: ______

7 Trennbare und untrennbare Verben. Schreiben Sie die Sätze in die Tabelle.

1. müssen / Die / Hotel / Mitarbeiter / vom / anfangen / Amadeus / früh / .
2. Die / Salzburger / japanischen Touristinnen / Nockerln / haben / bestellt / .
3. ein / kauft / Koch / für / Abendessen / das / Der / Zutaten / alle / .
4. Der / Getränke / vergisst / Kellner / die / .
5. Salzburg / möchte / Fotos / von / machen / Marlene Steinmann / viele / .
6. Sind / Gäste / abgefahren / schon / die / ?
7. verloren / seine / Sonnenbrille / Jonas Kajewski / hat / .
8. auf / ihr / die / Doppelzimmer / Räumt / ?

	Position 1	Verb	Satzmitte	Satzende
1.	*Die Mitarbeiter vom Hotel Amadeus*	*müssen*	*früh*	*anfangen.*
2.				
3.				
4.				
5.				
6.				
7.				
8.				

8 Gerti Schaurecker ist Privatdetektivin. Jeden Tag schreibt sie einen Bericht.

1. 8.30 Uhr: ins Büro kommen, Kaffee kochen, E-Mails lesen
   Um 8.30 Uhr bin ich ins Büro gekommen, habe Kaffee gekocht und meine E-Mails gelesen.
2. Von 8.45 Uhr bis 9.30 Uhr: telefonieren, ein Fax schreiben
3. Dann: Informationen im Internet suchen, einen Plan machen
4. 11.00 Uhr: eine Kundin besuchen
5. 12.30 Uhr: Mittagspause machen, zu Mittag essen
6. Nachmittags: den Film auswechseln, Leute beobachten und fotografieren
7. 16.30 Uhr: ins Büro zurückgehen, aufräumen
8. Ab 20.00 Uhr: Krimis im Fernsehen anschauen

An der Rezeption

Seite 88/89	Aufgabe 1–5

1 An der Rezeption

a) Lesen Sie bitte.

Frau Reich	Guten Tag. Ich brauche ein Zimmer für eine Nacht.
Empfangschefin	Haben Sie reserviert?
Frau Reich	Nein.
Empfangschefin	Möchten Sie ein Einzelzimmer?
Frau Reich	Ein Doppelzimmer, bitte.
Empfangschefin	Leider haben wir nur noch Einzelzimmer.
Frau Reich	Aber ich brauche ein Doppelzimmer. Ich habe sehr viel Gepäck und meinen Hund. Dann möchte ich zwei Einzelzimmer!
Empfangschefin	Also gut, zwei Einzelzimmer. Mit Halbpension oder nur Frühstück?
Frau Reich	Ich möchte hier nichts essen. Aber ein Frühstück für meinen Hund. Das ist wichtig.
Empfangschefin	Also nur Frühstück für Ihren Hund. Bitte, hier sind die Schlüssel für Zimmer 7 und 8. Einen schönen Tag.
Frau Reich	Danke.

b) Richtig (r) oder falsch (f)? Markieren Sie bitte.

1. Frau Reich hat nicht reserviert. ______ (r) (f)
2. Sie möchte ein Einzelzimmer. ______ (r) (f)
3. Im Hotel gibt es nur noch Doppelzimmer. ______ (r) (f)
4. Frau Reich hat Taschen und Koffer mitgebracht. ______ (r) (f)
5. Sie nimmt zwei Einzelzimmer. ______ (r) (f)
6. Sie möchte nicht im Hotel essen. ______ (r) (f)

2 Gast oder Empfangschefin. Wer sagt was? Bitte markieren Sie.

	Gast	Empfangschefin
1. Haben Sie noch ein Zimmer für eine Nacht frei?	X	
2. Haben Sie reserviert?		
3. Möchten Sie Halbpension oder nur Frühstück?		
4. Ich habe ein Zimmer reserviert.		
5. Ich nehme Halbpension.		
6. Für zwei Nächte oder für drei Nächte?		
7. Wir möchten ein Zimmer mit Bad und WC.		
8. Wie lange möchten Sie bleiben?		

3 An der Rezeption. Bitte kombinieren Sie.

①	Haben Sie noch ein Zimmer frei?	A	Nein, ich nehme Halbpension.	1 C
②	Wie lange möchten Sie bleiben?	B	Ja. Es ist ruhig und mit Blick auf den Garten.	2
③	Ist das Zimmer mit Blick auf den Garten?	C	Einzelzimmer oder Doppelzimmer?	3
④	Haben Sie reserviert?	D	Mit Bad und WC bitte.	4
⑤	Möchten Sie Übernachtung mit Frühstück?	E	Ein Doppelzimmer bitte.	5
⑥	Mit oder ohne Bad und WC?	F	Ich bleibe bis Donnerstag. Zwei Nächte.	6
⑦	Brauchen Sie ein Einzelzimmer oder ein Doppelzimmer?	G	Nein. Ich habe nicht reserviert.	7

4 Ein Tourist in Heidelberg. Bitte schreiben Sie.

Sie sind in Heidelberg im Urlaub. Sie suchen ein Einzelzimmer mit Bad und WC für zwei Nächte. Sie haben nicht reserviert und möchten Übernachtung, Frühstück und Abendessen. Sie haben nur einen Koffer.

1. ▶ Guten Tag.
   ◁ *Haben Sie noch ein Zimmer frei?*
2. ▶ Ja, wir haben noch ein Zimmer frei. Haben Sie reserviert?
   ◁ ______
3. ▶ Einzelzimmer oder Doppelzimmer?
   ◁ ______
4. ▶ Moment bitte. Ja. Wir haben noch ein Einzelzimmer mit Bad und WC, aber mit Blick auf die Straße. Wie lange möchten Sie bleiben?
   ◁ ______
5. ▶ Nur Übernachtung mit Frühstück?
   ◁ ______
6. ▶ Sehr gut. Hier ist der Schlüssel, Zimmer Nr. 103. Brauchen Sie Hilfe für das Gepäck?
   ◁ ______
   ▶ Viel Spaß in Heidelberg.

5 Suchen Sie acht Verben mit *-ieren*.

k	l	m	i	n	s	h	f	a	v	n	l	p	k	l	o	v	n	h
b	e	n	t	n	b	e	o	k	ö	l	n	i	e	r	e	e	n	f
v	e	r	k	b	m	s	t	u	d	i	e	r	e	n	r	r	e	d
t	e	n	k	b	v	l	o	k	l	j	m	e	n	b	t	l	l	j
f	o	g	e	l	m	n	g	j	h	m	l	o	n	ö	g	i	f	a
v	e	r	p	j	h	f	r	e	s	e	r	v	i	e	r	e	n	o
c	b	u	c	h	s	t	a	b	i	e	r	e	n	h	a	r	s	d
q	u	e	e	r	t	e	f	j	b	v	d	e	r	w	k	e	f	l
d	j	h	g	z	r	k	i	n	l	k	a	u	f	r	e	n	l	d
k	l	e	i	t	e	l	e	f	o	n	i	e	r	e	n	p	f	e
a	u	s	s	g	k	n	r	f	o	t	h	b	n	p	o	j	k	o
d	v	t	f	n	f	d	e	m	o	n	s	t	r	i	e	r	e	n
b	e	d	o	p	k	i	n	f	o	r	m	i	e	r	e	n	j	x
f	o	t	i	p	ö	e	r	d	i	e	r	e	n	k	l	p	v	j

1. telefonieren
2. ____________
3. ____________
4. ____________
5. ____________
6. ____________
7. ____________
8. ____________

6 Die Biografie von Elena Klimova. Bitte ergänzen Sie die Verben im Perfekt.

1. (sprechen) Ich bin 1963 in Russland geboren, aber meine Großeltern haben Deutsch gesprochen.
2. (besuchen, studieren) Ich ____________ die Universität ____________ und dort Medizin ____________.
3. (arbeiten) Dann ____________ ich als Ärztin im Krankenhaus ____________.
4. (treffen) 1993 ____________ ich Dimitri ____________.
5. (heiraten) Fünf Monate später ____________ wir ____________.
6. (gehen) 1995 ____________ wir nach Deutschland ____________.
7. (mitbringen). Wir ____________ nur wenig Gepäck ____________.
8. (finden, sein) Hier in Deutschland ____________ wir keine Wohnung ____________ und wir ____________ sehr lange arbeitslos ____________.
9. (machen) Dann ____________ wir einen Deutschkurs ____________.
10. (finden) Mein Mann ____________ eine Arbeit in der Fabrik ____________.
11. (bleiben, aufräumen, putzen) Aber ich ____________ zu Hause ____________ und ____________ die Wohnung ____________ und die Zimmer ____________. Das war so langweilig.
12. (anfangen) Zum Glück ____________ ich nun die Arbeit im Intercity-Hotel ____________.

Im Speisesaal

Seite 90/91	Aufgabe 1–5

 Im Speisesaal

a) Wer ist da? Bitte ergänzen Sie.

1. Da ist eine Dame mit *einem Hut* (Hut).
2. Da ist ein Mann mit ______________________ (Zither).
3. Da sind Eltern mit ______________________ (zwei Kinder).
4. Da sind japanische Touristinnen mit ______________________ (Fotoapparate).
5. Da ist eine Frau mit ______________________ (Handy).
6. Da ist ein Kellner mit ______________________ (Teller).

b) Was machen die Leute? Bitte schreiben Sie.

telefonieren   nervös sein   Salzburger Nockerln bestellen   Musik machen
~~Kaffee trinken~~   Salzburger Nockerln servieren

1. Die Dame mit *dem Hut trinkt Kaffee.*
2. Der Mann mit ______________________
3. Die Eltern mit ______________________
4. Die japanischen Touristinnen mit ______________________
5. Die Frau mit ______________________
6. Der Kellner mit ______________________

2 Neue Gäste sind im Hotel Amadeus angekommen. Bitte ergänzen Sie.

Alle Koffer stehen an der Rezeption. Marlene Steinmann, Jonas Kajewski und Akiko Tashibo aus Japan suchen ihre Koffer.

die Banane   Filme   das Kinderbuch   das Wörterbuch   die Kamera
das Buch über Salzburg   die Visitenkarten (Plural)   die Zeitung
die Handtücher (Plural)   die Flöte   ~~der Kalender~~   der Fußball

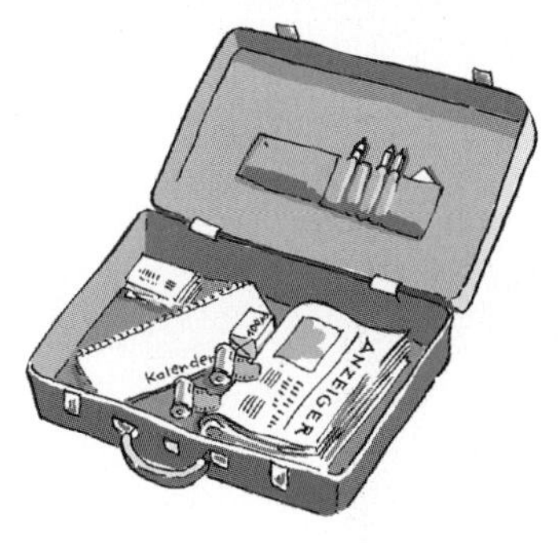

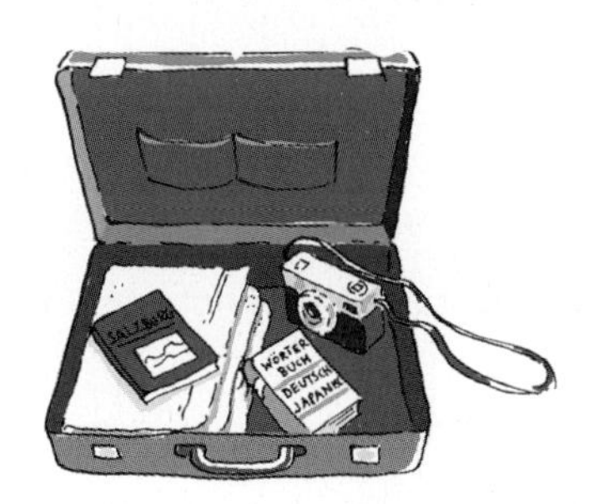

1. Der Koffer
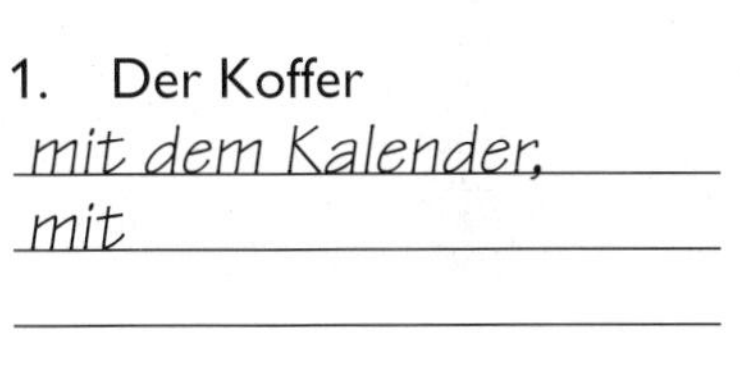
mit dem Kalender,
mit ____________________
____
____
ist von ____________________.

2. Der Koffer
____
____
____
____
ist von ____________________.

3. Der Koffer
____
____
____
____
ist von ____________________.

3 Bitte kombinieren Sie.

1. Mit wem telefoniert Herr Walketseder?
2. Womit spielt Julia Kajewski?
3. Womit fliegt Martin Miller nach London?
4. Mit wem spricht Frau Kovács?
5. Womit fotografiert die japanische Touristin?
6. Mit wem arbeitet Valentina Ponte?

A Mit einer Kamera.
B Mit Barbara Novaková.
C Mit seiner Schwester.
D Mit ihrem Ball.
E Mit dem Flugzeug.
F Mit einer Touristin.

1	*C*
2	
3	
4	
5	
6	

4 *Mit wem* oder *womit*? Bitte schreiben Sie.

1. Valentina geht mit ihrer Freundin in ein Restaurant. – *Mit wem?*
2. Marlene Steinmann fährt mit dem Zug nach Wien. – ______
3. Judit Kovács telefoniert mit einem Gast. – ______
4. Jonas Kajewski spielt mit einem Computerspiel. – ______
5. Barbara Novaková fährt mit dem Fahrrad ins Hotel. – ______
6. Herr und Frau Kajewski fahren mit ihren Kindern nach Österreich. – ______
7. Herr Hinterleitner besucht mit seiner Frau das Mozarthaus. – ______
8. Herr Walketseder arbeitet mit dem Computer. – ______

5 Schreiben Sie Fragen.

womit ~~**für wen**~~ **wofür** **ohne wen** **ohne was** **mit wem**

1. Toni Walketseder kocht Salzburger Nockerln für die Gäste.
   Für wen kocht Toni Walketseder Nockerln?
2. Für Nockerln braucht man viele Eier.
   ______
3. Susanne geht immer mit ihrer Freundin joggen.
   ______
4. Ohne seine Familie fährt Herr Kajewski nicht in den Urlaub.
   ______
5. Marlene Steinmann geht nie ohne Handy auf die Reise.
   ______
6. In Österreich bezahlt man mit Euro.
   ______

6 Wer telefoniert mit wem? Bitte schreiben Sie.

	Großvater	Freundin	Deutschlehrerin	Eltern	Freund
ihr			X		X
Laura	X	X			
wir	X			X	
ich		X		X	
Simon und David		X			X
du	X		X		

1. *Ihr telefoniert mit eurer Deutschlehrerin und dann mit eurem Freund.*
2. ______
3. ______
4. ______
5. ______
6. ______

Wolfgang Amadeus Mozart

Seite 92	Aufgabe 1–2

1 W. A. Mozart. Ein Lexikonartikel.

a) Lesen Sie noch einmal.

Mozart

Mozart, Wolfgang Amadeus, *1756 Salzburg, †1791 Wien. Österreichischer Komponist. Sein Vater Leopold Mozart, selbst ein Musiker, unterrichtet seinen Sohn musikalisch. Mozart ist ein Wunderkind. Schon mit 6 Jahren macht er mit seinem Vater und mit seiner Schwester Nannerl Konzertreisen durch Europa. 1769 wird Mozart Konzertmeister beim Erzbischof von Salzburg. 1780 zieht er nach Wien um. Er ist dort freier Künstler und hat oft finanzielle Probleme. 1782 heiratet er Constanze Weber. Mit seiner Oper „Don Giovanni" hat er 1787 endlich großen Erfolg und wird kaiserlicher Komponist. Mozart ist aber oft krank und immer noch arm. Mit 35 Jahren stirbt er einsam und unglücklich in Wien. Mozart hat Opern, Sinfonien, Konzerte und noch viel mehr komponiert. Er ist einer der wichtigsten Komponisten der Musikwelt. Vieles ist heute nach Mozart benannt. Es gibt sogar eine Süßigkeit: Mozartkugeln.

b) Finden Sie acht Nomen aus der Musik.

1. *Komponist*
2. ______
3. ______
4. ______
5. ______
6. ______
7. ______
8. ______

2 Wer ist W. A. Mozart? Bitte schreiben Sie die Sätze.

1. Komponist / österreichischer / ist / Mozart / ein / . *Mozart ist ein österreichischer Komponist.*
2. sein Vater / Musiker / Auch / von Beruf / war / . ______
3. Mit / Konzertreisen / macht / schon / 6 Jahren / er/ . ______
4. Er / nach / zieht / 1780 / um / Wien / . ______
5. Mozart / haben / Geld / Constanze / und / nicht / viel / . ______
6. „Don Giovanni" / 1787 / die / Mozart / Oper / komponiert / . ______
7. oft / krank / Er / ist / . ______
8. mit / stirbt / Jahren / 35 / Mozart / . ______

Lektion 8

Projekt: Nürnberg – unsere Stadt

Seite 94/95	Aufgabe 1–2

1 Ein Projekt im Deutschkurs. Was passt?

~~Deutschkurs~~ Projektthema Gruppen Arbeit Projekt Wandzeitung

1. *Der Deutschkurs* findet in der VHS Nürnberg statt.
2. Die Kursleiterin plant ein ________________ über die Stadt Nürnberg.
3. Die Kursteilnehmer wählen ein ________________ aus.
4. Sie arbeiten in ________________.
5. Jede Gruppe stellt ihre ________________ im Kurs vor.
6. Eine Gruppe macht eine ________________.

2 Was passt zusammen?

1 Informationen	A arbeiten	1	*F*
2 ein Projektthema	B machen	2	
3 Prospekte	C im Kurs vorstellen	3	
4 das Projekt	D auswählen	4	
5 Interviews	E mitbringen	5	
6 in Kleingruppen	F sammeln	6	

3 Projektarbeit im Deutschkurs. Bitte schreiben Sie Sätze.

1. „Nürnberg – unsere Stadt" / macht / Der Deutschkurs / ein Projekt / . *Der Deutschkurs macht ein Projekt „Nürnberg – unsere Stadt".*
2. Drei oder vier / in jeder Projektgruppe / Kursteilnehmer / arbeiten / . ________________
3. Informationen über / sammelt / Jede Arbeitsgruppe / Nürnberg / . ________________
4. gehen / Die Kursteilnehmer / in die Touristen-Information / bringen / Prospekte / und / mit / . ________________
5. machen / Interviews / Die Projektgruppen / viele / . ________________
6. eine Wandzeitung über / Der Deutschkurs / Nürnberg / macht / . ________________

4 Suchen Sie die Wörter und ergänzen Sie die Antworten.

1. Albrecht Dürer war ein deutscher Maler und Zeichner.
2. Im Restaurant esse ich sehr gerne Nürnberger ______________.
3. Der Deutschkurs macht ein ______________ über Nürnberg.
4. Im Dezember findet in Nürnberg der ______________ statt.
5. Auf dem Christkindlesmarkt gibt es Nürnberger ______________.
6. Im ______________ für Mode und Design kann man schöne Kleider kaufen.
7. Der Schöne ______________ befindet sich auf dem Hauptmarkt.
8. In der ______________ von Nürnberg hat Friedrich Barbarossa gelebt.

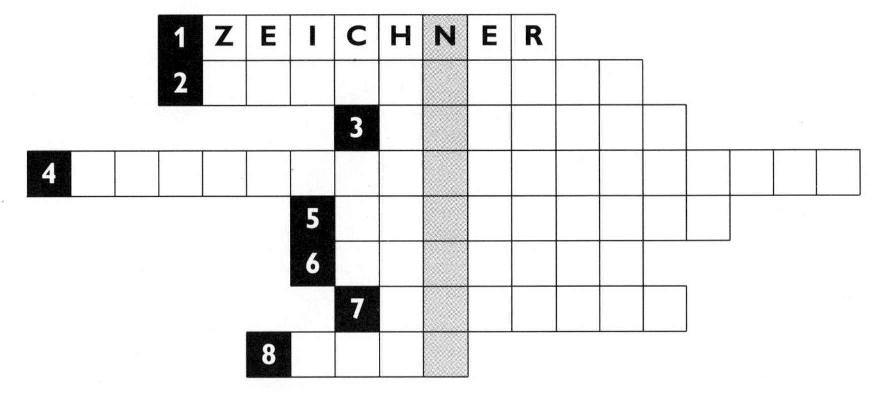

Lösungswort: N______________

Was hat Jens (12 Jahre) eine Woche in Nürnberg gemacht? Bitte ergänzen Sie die Perfektformen.

Liebe Oma,

ich muss dir mal wieder einen Brief schreiben, hat Mama gesagt (sagen).
Also, am Montag ______________ ich nach Nürnberg ______________ (fahren) und ______________ meinen Brieffreund Tim ______________ (treffen). Ich ______________ erst spät ______________ (ankommen) und wir ______________ lange ______________ (schlafen). Am Dienstag ______________ wir erst mal ______________ (frühstücken), dann ______________ wir in die Stadt ______________ (fahren) und ______________ das Zentrum ______________ (besichtigen). Das war anstrengend, deshalb ______________ wir ganz viele Bratwürste ______________ (essen) und Limo ______________ (trinken). Und dann ______________ wir noch Nürnberger Lebkuchen ______________ (kaufen). Aber ich ______________ sie leider im Bus ______________ (vergessen). Am Donnerstag ______________ wir noch im Spielzeugmuseum ______________ (sein). Das war aber langweilig: keine Gameboys, keine Computerspiele, echt blöd.

Viele liebe Grüße

dein Jens

Straßen und Plätze in Nürnberg

Seite 96–99	Aufgabe 1–8

1 Wo sind Alik, Sonya, Shijun und Olaf?

a) Wer ist wo? Bitte ergänzen Sie den Dativ.

1. Das Museum ist neu. — Alik und Sonya sind in _dem_ Museum.
2. Das Kino ist voll. — Aber Olaf ist in ________ Kino.
3. Der Marktplatz ist groß. — Shijun und Alik sitzen auf ________ Marktplatz.
4. Der Bus kommt. — Die Leute warten an ________ Haltestelle.
5. Das Café ist schön. — Sonya und ihre Freundin sitzen in ________ Café.
6. Der Turm ist hoch. — Alik ist auf ________ Turm.

b) *im* oder *am*? Bitte ergänzen Sie.

1. in dem Haus = _im_ Haus.
2. an dem Fluss = _am_ Fluss.
3. ________ Museum = im Museum.
4. an dem Turm = ________ Turm.
5. ________ Kino = im Kino.
6. in dem Café = ________ Café.
7. ________ Brunnen = am Brunnen.
8. in dem Supermarkt = ________ Supermarkt.

2 *in, an, auf* + Dativ. Was ist wo?

1 2 3 4 5 6 7 8

1. _Der Fußball ist auf dem Fußballplatz._
2. ________________
3. ________________
4. ________________
5. ________________
6. ________________
7. ________________
8. ________________

3 *in, auf* + Dativ. Wer arbeitet wo?

der Supermarkt die Bäckerei das Restaurant das Hotel die Oper der Christkindlesmarkt das Krankenhaus ~~die Schule~~

1. Die Lehrerin arbeitet *in der Schule.*
2. Der Musiker arbeitet ______
3. Die Ärztin arbeitet ______
4. Der Koch arbeitet ______
5. Die Marktfrau arbeitet ______
6. Das Zimmermädchen arbeitet ______
7. Der Bäcker arbeitet ______
8. Der Verkäufer arbeitet ______

4 Was machen Alik, Sonya und Shijun wo? Bitte ergänzen Sie.

1. Alik, Sonya und Shijun kaufen einen Stadtplan *in* *einem* Buchladen.
2. Sie interviewen Leute ______ ______ Café.
3. Shijun fotografiert eine Reisegruppe ______ ______ Brunnen.
4. Alik beobachtet eine Familie ______ ______ Supermarkt.
5. Sonya wartet ______ ______ Haltestelle.
6. Dann essen Alik, Sonya und Shijun Bratwurst ______ ______ Marktstand.

5 Hier ist ja alles falsch! Schreiben Sie bitte die Sätze richtig.

~~Der Hund sitzt~~	in einem Bett.
Die Freunde feiern	auf einem Spielplatz.
Die Kinder spielen	in einem Restaurant.
Die Gäste schlafen	an einer Haltestelle.
Die Köchin kocht	~~in einem Auto.~~
Ich warte	in einem Topf.

1. *Der Hund sitzt in einem Auto.*
2. ______
3. ______
4. ______
5. ______
6. ______

6 Was bedeutet *gehen* hier?

nicht krank sein	funktionieren	in einem Restaurant essen
Bewegung haben	in einem anderen Land leben	~~Lebensmittel~~ kaufen

1. Marlene geht einkaufen. = *Lebensmittel kaufen.*
2. Herr Müller geht jeden Tag mit dem Hund spazieren. = ______
3. „Wie geht's, Frau Mainka?" – „Danke, es geht." = ______
4. Helga hat Geburtstag. Heute Abend geht sie essen. = ______
5. Meine Uhr geht nicht. = ______
6. Peter geht nach Afrika. = ______

Seite 99	Aufgabe 9

1 Wohin und wo? *in, an, auf* + Akkusativ oder Dativ.

a) Die Projektgruppe sammelt Informationen über Nürnberg. Wohin geht sie?

① Alik, Sonya und Shijun brauchen einen Stadtplan. Sie gehen
② Sie möchten Albrecht Dürer kennen lernen. Sie gehen
③ Sie fotografieren den Schönen Brunnen. Sie gehen
④ Sie interviewen viele Touristen. Sie gehen
⑤ Sie suchen Nürnberger Lebkuchen. Sie gehen
⑥ Sie haben Hunger. Sie gehen

A ins Café am Markt.
B an den Marktstand und essen Bratwürste.
C auf den Hauptmarkt.
D ins Lebkuchenhaus.
E ins Albrecht-Dürer-Museum.
F in den Buchladen.

1	*F*
2	
3	
4	
5	
6	

b) Sonya hat den Fotoapparat nicht mehr. Wo suchen Alik, Sonya und Shijun?

① Sie fragen die Putzfrau
② Sie fragen die Verkäuferin
③ Alik fragt die Leute am Schönen Brunnen
④ Shijun fragt die Kellnerin
⑤ Sonya fragt den Lebkuchenbäcker
⑥ Sie fragen die Marktfrau

Da ist ja der Fotoapparat!

A im Lebkuchenhaus.
B im Café am Markt.
C im Buchladen.
D im Albrecht-Dürer-Haus.
E am Marktstand.
F auf dem Hauptmarkt.

1	*D*
2	
3	
4	
5	
6	

2 Verben. Bitte ordnen Sie zu.

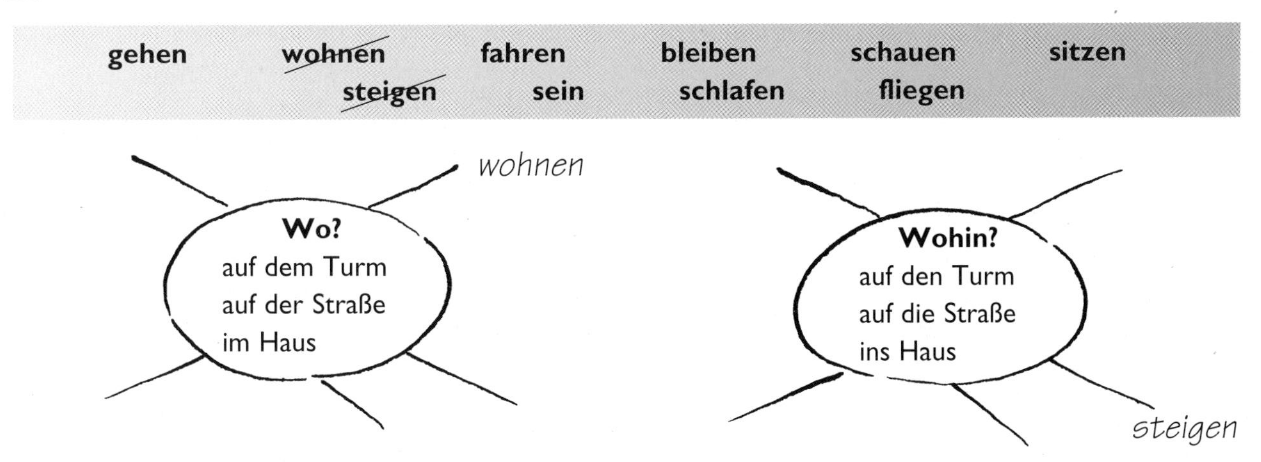

3 Bitte schreiben Sie Sätze.

schlafen, steigen, fahren, wohnen, gehen, arbeiten, warten, sein

an, am, auf, im, ins, in

Turm, Stadt, Dorf, Haltestelle, Haus, Bett, Kino, Krankenhaus

1. Ich *schlafe im Bett.*
2. Sonya und Alik ______
3. Olaf ______
4. Wir ______
5. Shijun ______
6. Ihr ______
7. Du ______
8. Sie ______

4 *in* + Akkusativ oder Dativ. Bitte ergänzen Sie auch den Artikel.

1. Ich wohne *in einem* Haus in der Albrecht-Dürer-Straße.
2. Marlene fährt ______ Stadt und fotografiert den Turm.
3. Die Kinder fahren ______ Kindergarten.
4. Der Arzt arbeitet ______ Krankenhaus.
5. Mein Bruder und ich treffen unsere Oma ______ Kirche.
6. Gehst du mit mir ______ Kino?

5 Was machen die Leute? Schreiben Sie die Fragen.

1.	*Wohnst du noch in der Korngasse?*	Ja, ich wohne noch in der Korngasse.
2.	______________________	Die Kinder spielen auf dem Fußballplatz.
3.	______________________	Hans arbeitet in einem Restaurant.
4.	______________________	Nein, ich möchte heute nicht ins Theater gehen.
5.	______________________	Marlene geht in die Volkshochschule.
6.	______________________	Tim ist in die Stadt gefahren.

6 Sonya sucht eine Bäckerei

a) Bitte lesen Sie.

Sonya	Entschuldigung, gibt es hier eine Bäckerei?
Frau Hansen	Eine Bäckerei? Ja, klar. Gehen Sie geradeaus und an der zweiten Kreuzung links.
Sonya	Gut. Ich gehe geradeaus und biege an der zweiten Kreuzung nach links ab.
Frau Rabe	Hallo? Sie suchen eine Bäckerei? Da müssen Sie an der zweiten Kreuzung rechts, nicht links.
Frau Hansen	Wie bitte? Natürlich muss sie links.
Frau Rabe	Aber nein. Links ist die Albrecht-Dürer-Straße, die Bäckerei Düring liegt in der Korngasse.
Frau Hansen	Ja, aber es gibt hier zwei Bäckereien. Ich gehe lieber in die Bäckerei Fischer.

b) Was ist richtig? Bitte markieren Sie.

1. Sonya geht geradeaus und biegt an der zweiten Kreuzung links ab. Sie ist in der
   ☐ Korngasse ☐ in der Albrecht-Dürer-Straße.
2. In der Albrecht-Dürer-Straße liegt
   ☐ die Bäckerei Düring ☐ die Bäckerei Fischer.

7 Sie sind Tourist in Nürnberg. Was sagen oder fragen Sie?

① Sie haben eine Frage.
② Sie suchen das Albrecht-Dürer-Haus.
③ Sie haben keine Uhr.
④ Sie verstehen ein Wort nicht.
⑤ Eine Touristin aus Japan fragt nach dem Weg.
⑥ Sie sind in einem Café und möchten bestellen.
⑦ Dann möchten Sie bezahlen.

A Ich möchte zahlen.
B Wo ist das Albrecht-Dürer-Haus?
C Einen Kaffee mit Milch bitte.
D Wie spät ist es?
E Entschuldigung, ich habe eine Frage.
F Entschuldigung, ich verstehe nicht.
G Tut mir Leid, das weiß ich auch nicht.

1	*E*
2	
3	
4	
5	
6	
7	

8 Herr Eder bringt die Post. Wohin geht er? Beschreiben Sie den Weg.

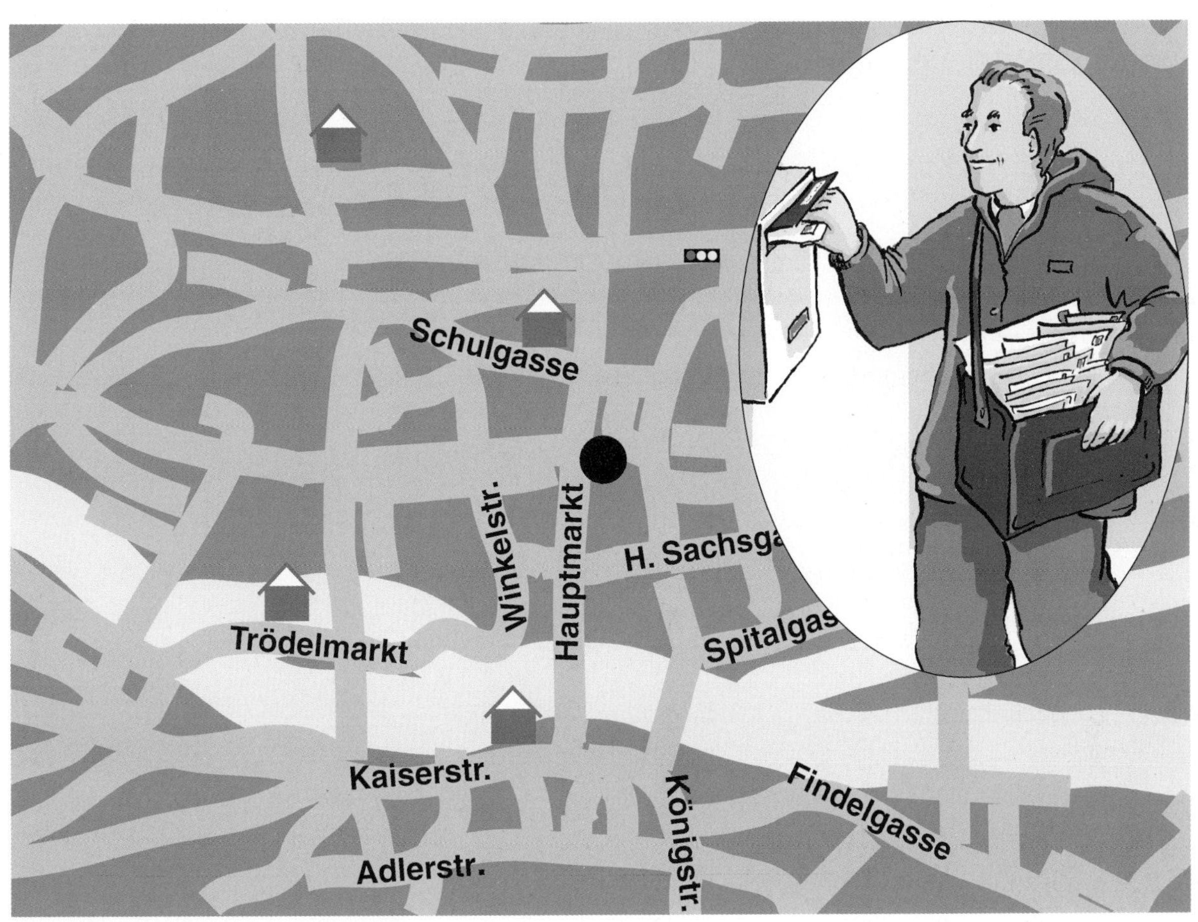

1

Musikschule Süd
Adlerstr. 14
90402 Nürnberg

Er geht nach links, dann die erste Straße rechts in die Kaiserstraße und dann in die zweite Straße links. Dann kommt er in die Adlerstraße.

2

3

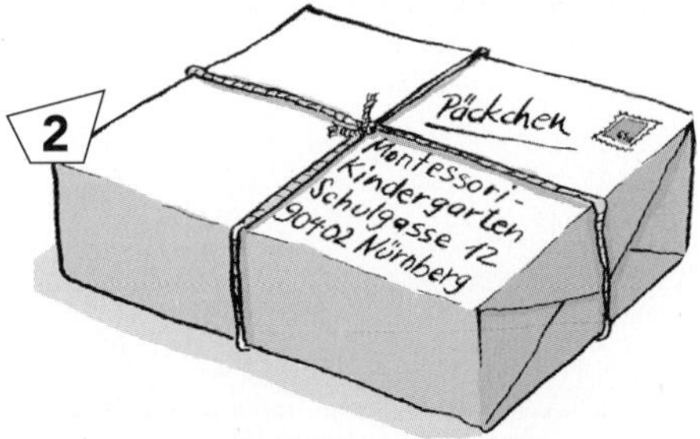

Im Atelier für Mode und Design

Seite 100/101	Aufgabe 1–2

1 Lesen Sie im Kursbuch Seite 26, Aufgabe 1. Was ist richtig? Markieren Sie bitte.

1. Seit 1998
   ☐ ist ☒ hat ☐ wird Frau Sommer ein Atelier für Mode und Design.
2. Der Anfang ist nicht
   ☐ gut ☐ teuer ☐ leicht gewesen.
3. Niemand hat Frau Sommer gekannt, nur wenige haben etwas gekauft oder
   ☐ verkauft ☐ bestellt ☐ produziert.
4. Aber ihre Kunden sind immer zufrieden gewesen und haben
   ☐ Kuchen ☐ Sport ☐ Werbung für sie gemacht.
5. Es sind immer mehr Kunden gekommen. Deshalb arbeitet Frau Güncel seit Herbst 2001 als
   ☐ Kursleiterin ☐ Köchin ☐ Schneiderin im Atelier.
6. Frau Güncel und Frau Sommer
   ☐ nähen ☐ bestellen ☐ entdecken Jacken, Hosen, Mäntel und Röcke.
7. Das Design ist individuell, die
   ☐ Sonnenbrillen ☐ Handys ☐ Kleidungsstücke sind schick.
8. Sie passen
   ☐ schlecht ☐ nicht ☐ genau. Deshalb verkauft Frau Sommer sehr gut.

2 Der Tag von Frau Hassel, Verkäuferin in einem Kaufhaus. Bitte ergänzen Sie.

kaufen	~~verkaufen~~	bestellen	anprobieren	umtauschen	nähen

1. Um 9.00 Uhr *hat* ______ Frau Hassel eine Jacke *verkauft* ______.
2. Um 9.30 Uhr ______ eine Kundin einen Rock in Größe 42 ______.
3. Sie ______ dann aber eine Hose ______.
4. Um 10.00 Uhr ______ eine Frau eine Bluse gebracht und ______.
5. Die Bluse war kaputt. Die Schneiderin ______ die Bluse ______.
6. Dann ______ Frau Hassel 5 Sommerkleider bei „Madame-Moden“ ______.

3 *suchen* oder *besuchen*? Bitte ergänzen Sie.

1. Entschuldigung, ich *suche* ______ die Markuskirche.
2. Alik, Shijun und Sonya ______ das Albrecht-Dürer-Haus in Nürnberg.
3. Frau Sommer hat eine Schule für Design ______.
4. Herr Bauer ist ledig. Aber er ______ eine Frau.
5. Am Sonntag haben wir keine Zeit. Da möchten wir unsere Großeltern ______.
6. Hast du meine Schlüssel gesehen? Ich ______ sie im ganzen Haus ______.
7. Ich ______ ein Kleid. – Welche Größe brauchen Sie?
8. Im Urlaub ______ Frau Güncel ihre Familie in der Türkei.

4 Frau Biller hat gewaschen. Die Farben von den Kleidungsstücken sind nicht mehr da. Bitte ergänzen Sie!

a)

1. w_ei_ß
2. r__t
3. gr__n
4. g__lb
5. bl__
6. br__n
7. schw__rz
8. gr__

b)

1. J_a_ck_e_
2. H__s__
3. M__nt__l
4. P__ll__v__r
5. Kl__d
6. R__ck
7. H__md
8. Bl__s__

5 Die Bestellung von Frau Holder

	der Rock	das Kleid	die Jacke	das Hemd	der Pullover	die Hose
rot		X				
grün				X		
gelb	X					
blau					X	
schwarz		X	X			
braun			X			X

a) Was hat Frau Holder bestellt? Bitte schreiben Sie.

1. Einen Rock. Er ist gelb.
2. ______
3. ______
4. ______
5. ______
6. ______
7. ______
8. ______

b) Was fehlt in ihrer Bestellung?

1. ______
2. ______
3. ______

6 Vier Personen suchen ein Kleidungsstück. Wer sucht was?

Anna hat Größe 40. Dieter sucht einen Mantel. Das Kleid gibt es in Größe 36. Die Kleidungsstücke von Beatrice und Carlos sind grün. Die Männer haben die Größen 50 und 52. Ein Kleidungsstück in Größe 50 ist grau. Carlos trägt eine Jacke. Die Hose ist rot. Die Jacke ist nicht Größe 40.

Wer?	Kleidungsstück	Farbe	Größe
Anna			40

Seite 101	Aufgabe 3–4

Bitte ordnen Sie.

Filme Eis Hosen Farbe Projekt Sprachen ~~Markt~~ Brunnen Deutschkurs Theater Kirche Haus Stadt Mantel Größe Kleider

Welcher m	Welche f	Welches n	Welche Pl
Markt,			

2 *welcher, welche, welches, welche*

a) Bitte fragen Sie.

1. Welcher Brunnen ist das? – Der Schöne Brunnen in Nürnberg.
2. ______ – Das ist rot.
3. ______ – Die Stadt heißt Frankfurt.
4. ______ – Apfelkuchen.
5. ______ – Ich glaube Größe 40.
6. ______ – Das ist Zitroneneis.

b) Schreiben Sie die Fragen.

1. ▶ Welchen Mantel nehmen Sie? ◁ Ich nehme den Wollmantel.
2. ▶ ______ ◁ Sie probiert die Sommerbluse.
3. ▶ ______ ◁ Er sucht die Autoschlüssel.
4. ▶ ______ ◁ Sie reservieren das Schlosshotel.
5. ▶ ______ ◁ Wir möchten den Schokoladenkuchen.
6. ▶ ______ ◁ Ich mache den Deutschkurs mit Frau Seyfried.

3 Wer sagt was? Kundin oder Verkäuferin?

		Kunde/Kundin	Verkäufer/Verkäuferin
1.	Welche Farbe hätten Sie gern?	☐	☒
2.	Ich brauche eine Jacke.	☐	☐
3.	Welche Größe haben Sie?	☐	☐
4.	Wollen Sie den Pullover anprobieren?	☐	☐
5.	Haben Sie den Rock in Größe 40?	☐	☐
6.	Ich suche eine Hose in Rot. Gibt es so etwas?	☐	☐
7.	Das Kleid passt leider nicht.	☐	☐
8.	Tut mir Leid. Die Hose haben wir nur in Blau.	☐	☐

4 Bitte ordnen Sie den Dialog.

Ja, er passt gut. Was kostet der Rock denn? ~~Guten Tag. Ich suche einen Rock.~~
Gerne, welche Größe brauchen Sie? Wie finden Sie ihn? ~~Welche Farbe hätten Sie denn gern?~~
Ach, ich weiß noch nicht. Hier sind die Umkleidekabinen. Schwarz. Vielleicht auch dunkelgrün.

Kundin *Guten Tag. Ich suche einen Rock.*
Verkäuferin *Welche Farbe hätten Sie denn gern?*
Kundin ______________________________
Verkäuferin Hm, mal sehen. Der hier ist schwarz. ______________________________
Kundin Nicht schlecht. Kann ich ihn anprobieren?
Verkäuferin ______________________________
Kundin Größe 42.
Verkäuferin Bitte sehr. ______________________________
Verkäuferin Und? Passt er?
Kundin ______________________________
Verkäuferin 115 €.
Kundin ______________________________

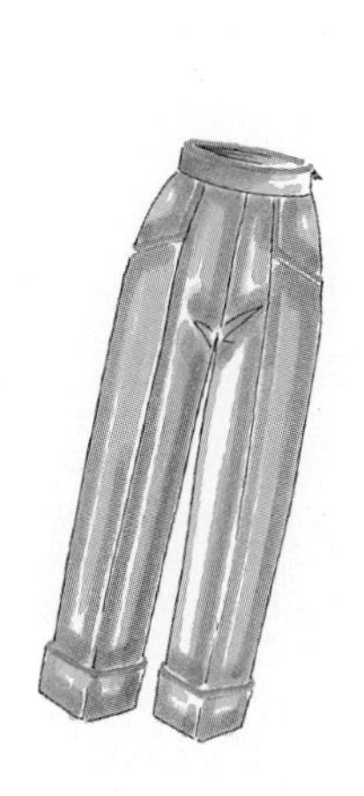

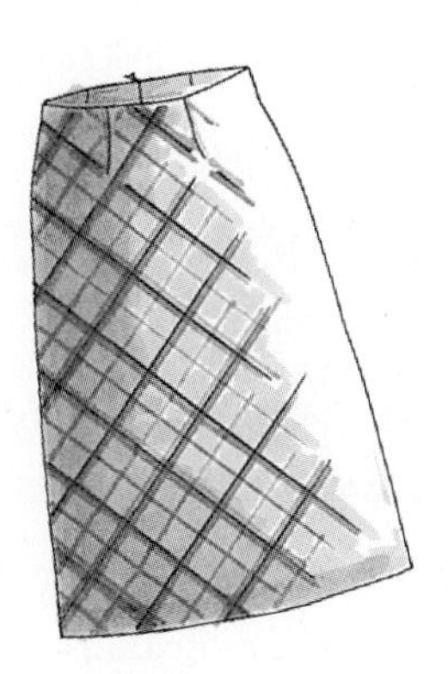

Im Lebkuchenhaus

Seite 102	Aufgabe 1–2

1 Was wissen Sie über Gabi Oberleitner?

a) Lesen Sie.

Gabi Oberleitner ist Verkäuferin im Lebkuchenhaus. Jeden Tag – im Sommer und im Winter – verkauft sie von morgens bis abends Schokolade, Nürnberger Lebkuchen und andere Süßigkeiten. Die Kunden kommen aus aller Welt. Touristen aus Amerika, Italien, Schweden und Japan kaufen Lebkuchen für ihre Familien zu Hause. Zuerst probieren sie die Lebkuchen, dann möchten sie das Rezept von Frau Oberleitner. Aber sie backt die Lebkuchen nicht, sie verkauft sie nur. Früher hat sie jeden Tag Lebkuchen gegessen und alle Sorten probiert. Jetzt mag sie keine Lebkuchen mehr. Aber sie isst sehr gerne Nürnberger Bratwürste.

b) Richtig (r) oder falsch (f)? Markieren Sie bitte.

1. Gabi Oberleitner ist Bäckerin im Lebkuchenhaus. ______ r f
2. Sie verkauft den Lebkuchen nur im Winter. ______ r f
3. Die Touristen kaufen Schokolade, Süßigkeiten und Nürnberger Lebkuchen. ______ r f
4. Die Kunden möchten das Rezept von Frau Oberleitner. ______ r f
5. Gabi Oberleitner backt jeden Abend Lebkuchen. ______ r f
6. Frau Oberleitner isst nicht gerne Lebkuchen. ______ r f

Seite 102/103	Aufgabe 3–6

1 Nürnberg ist groß. Bitte ergänzen Sie.

Dürfen: **ü** oder **a**

1. Ich *darf* ______ den Kirchturm fotografieren.
2. Du ______ nicht fotografieren.
3. Anton ______ auch nicht fotografieren.
4. Wir ______ nicht fotografieren.
5. ______ ihr fotografieren?
6. Sie ______ nicht fotografieren.

Wollen: **o** oder **i**

1. Ich *will* ______ fotografieren.
2. ______ du fotografieren?
3. Olaf ______ nicht fotografieren.
4. Wir ______ immer fotografieren.
5. ______ ihr jetzt fotografieren?
6. Hans und Olaf ______ heute nicht fotografieren.

2 Was dürfen Kinder, was dürfen sie nicht? Was wollen sie, was wollen sie nicht?

a) Verbinden Sie.

Das wollen Kinder.

Das dürfen Kinder nicht.

Auto fahren
laut Musik hören
viel Eis essen
ihre Freunde treffen
rauchen
fernsehen
Grammatik lernen
im Haushalt arbeiten

Das dürfen Kinder.

Das wollen Kinder nicht.

b) Schreiben Sie Sätze.

Kinder wollen viel Eis essen. ______

Kinder dürfen nicht rauchen. ______

______

3 Eine Reisegruppe in Nürnberg

a) Ergänzen Sie Formen von *wollen*.

1. Herr und Frau Seidl aus Salzburg *wollen* ______ nicht zu Fuß gehen.
2. Paul aus Frankfurt ______ das Albrecht-Dürer-Haus nicht besichtigen.
3. Frau Schneider aus Hamburg ______ nur Lebkuchen kaufen.
4. „______ Sie Fotos machen?", fragt die Reiseleiterin.
5. „Wir ______ eine Pause machen!", sagen die Touristen.
6. Die Reiseleiterin ist sauer. Die Reisegruppe ______ nichts von Nürnberg sehen. Die Touristen ______ nur Kaffee trinken und Kuchen essen.

b) Ergänzen Sie die Formen von *dürfen*.

1. Die Reisegruppe *darf* ______ im Albrecht-Dürer-Haus nicht rauchen.
2. Paul ______ die Leute am Marktstand nicht fotografieren.
3. Herr und Frau Seidl ______ in der Burg nicht telefonieren.
4. Frau Schneider ______ die Spezialitäten im Lebkuchenhaus nicht probieren.
5. Die Touristen ______ nicht auf den Schönen Brunnen steigen.
6. Die Reisegruppe ist sauer: „Wir ______ keine Pause machen. Wir müssen immer schnell durch die Stadt gehen."

4 Kombinieren Sie und schreiben Sie Sätze.

du, ich, Anke und Andreas, ihr, Mama und ich, Tante Jana	wollen, dürfen	nicht, keinen, keine, kein, keine	Kaffee trinken, Limonade trinken, in die Stadt gehen, fernsehen, Freunde besuchen, fotografieren, Fahrrad fahren, viel Schokolade essen, rauchen, ins Museum gehen

Tante Jana will nicht in die Stadt gehen.

____

5 Was machen Sie gern im Haushalt? Bitte schreiben Sie.

unsere Kinder, mein Ehemann, meine Schwester, unsere Töchter, unser Vater, meine Freundin und ich	können, dürfen, müssen, möchten, wollen	immer, nie, manchmal, oft, selten	einkaufen gehen, putzen, waschen, Betten machen, aufräumen

Unsere Kinder wollen nie aufräumen.

____

6 *nicht dürfen* oder *nicht müssen*? Bitte markieren Sie.

1. Frau Egner hat Urlaub. Sie muss / darf nicht arbeiten. (muss circled)
2. Anton, 5 Jahre, möchte ins Kino gehen. Er muss / darf nicht ohne seine Eltern gehen.
3. Die Kinder sind krank. Sie müssen / dürfen nicht auf dem Fußballplatz spielen. (dürfen circled)
4. Ihr habt kein Geld mehr. Ihr müsst / dürft nichts mehr kaufen.
5. Olaf und Sonya haben viele Informationen gesammelt. Sie müssen / dürfen nicht weiterfragen.
6. Es ist Sonntag. Ich muss / darf nicht früh aufstehen.
7. Das Zimmer ist unordentlich. Die Kinder müssen / dürfen nicht spielen, sie müssen aufräumen.
8. Herr Mayr ist Hausmann. Seine Frau muss / darf nicht putzen.

Projekte präsentieren

Seite 104	Aufgabe 1–2

1 Das Lebkuchenrezept. Backen Sie selbst!

a) Bitte lesen Sie.

Zutaten

Teig:
250 g Honig
375 g Zucker
100 ml Milch
125 g Butter
1 Päckchen Lebkuchengewürz
750 g Mehl
$^{1}/_{2}$ Päckchen Backpulver

Guss:
200 g ganze Mandeln
250 g Puderzucker
1 Eiweiß

Zubereitung

Für den Teig: Honig, Zucker, Milch und Butter unter Rühren heiß machen. Dann das Lebkuchengewürz unterrühren. Mehl und Backpulver dazugeben und gut rühren. Den Teig eine Stunde kalt stellen. Auf ein mit Backpapier belegtes Backblech ausrollen und bei 200 Grad etwa sechs bis sieben Minuten backen. Den warmen Lebkuchen in Stücke schneiden.

Für den Guss: 250 g Puderzucker und ein Eiweiß verrühren. Den Guss auf die Lebkuchenstücke streichen und Mandeln darauf legen.
Den kalten Lebkuchen servieren.

Guten Appetit!

b) Was ist richtig? Bitte schreiben Sie.

1. Muss man Lebkuchen kochen oder backen? ______________________
2. Schmeckt Lebkuchen süß oder sauer? ______________________
3. Isst man Lebkuchen warm oder kalt? ______________________

Lektion 9

Eine Stadt im Dreiländereck: Basel

Seite 106/107	Aufgabe 1–3

1 In der Schweiz, in Deutschland oder in Frankreich? Kombinieren Sie bitte.

1. Basel liegt
2. Basel-Land ist
3. Weil am Rhein ist
4. Das Elsass ist
5. Die Stadt Mulhouse liegt
6. Der Schwarzwald ist

A eine Kleinstadt in Deutschland.
B in Frankreich.
C ein Gebirge in Deutschland.
D ein Kanton in der Schweiz.
E eine Region in Frankreich.
F in der Schweiz.

1	F
2	
3	
4	
5	
6	

2 Ordnen Sie bitte.

das Gebirge   die Region   der Kanton   die Stadt   ~~das Land~~   die Sprache

1. die Schweiz, Frankreich: das Land
2. Schweizerdeutsch, Französisch: ____________
3. der Schwarzwald, die Alpen: ____________
4. das Ruhrgebiet, das Elsass: ____________
5. Basel-Stadt, Basel-Land: ____________
6. Mulhouse, Weil am Rhein: ____________

3 Bitte ordnen Sie die Silben und suchen Sie 6 Wörter.

~~Gren-~~ -en -te -an- Me- Ver- Ex- -tung -bir- -ment -port ~~-ze~~
Ver- -di- Ge- -stal- -kehr -ge -ka-

1. Grenze
2. ____________
3. ____________
4. ____________
5. ____________
6. ____________

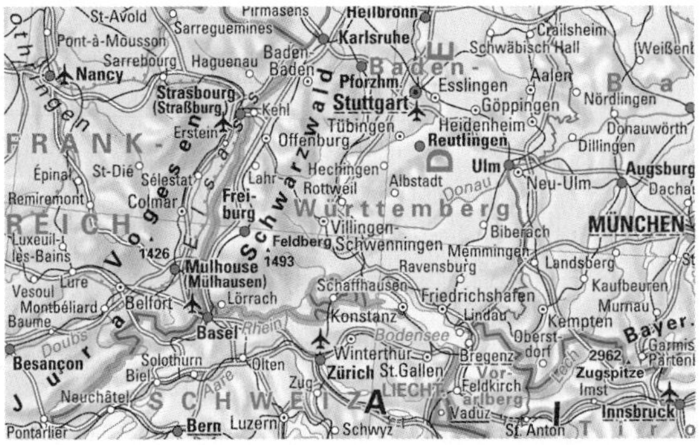

4 Da stimmt etwas nicht! Schreiben Sie die Wörter richtig.

1. Für eine Wohnung muss ich *teMie* Miete bezahlen.
2. Ein *lerPend* __________ fährt jeden Tag sehr weit zur Arbeit.
3. Die Schweiz ist *spramehrchig* __________. Man spricht dort vier Sprachen.
4. Wo es viel Industrie gibt, ist die *ftLu* __________ nicht sauber.
5. Kilchberg ist eine kleine Stadt, Basel ist eine *staßGrodt* __________.
6. In Basel gibt es drei *konPharzermane* __________. Sie bieten viele Arbeitsplätze.

5 Ein Prospekt von Basel. Was passt: a), b) oder c) ? Markieren Sie bitte.

Grüezi und herzlich willkommen in Basel!

Sie möchten Basel kennen lernen? Hier einige wichtige Informationen.

Unsere Stadt liegt am Rheinknie direkt an der **(1)** Grenze zu Deutschland und zu Frankreich, dem Dreiländereck. Die Stadt Basel ist einer von 26 Kantonen in der Schweiz.

Bei uns **(2)** __________ man übrigens viele Sprachen: Schweizerdeutsch, Französisch, Italienisch und **(3)** __________.

Menschen **(4)** __________ der ganzen Welt arbeiten bei uns in Basel, denn hier **(5)** __________ es viele internationale Firmen. Die grossen **(6)** __________, z. B. produzieren Medikamente für den weltweiten Export.

Basel **(7)** __________ eine alte Stadt mit vielen historischen Gebäuden. Dort finden auch viele kulturelle **(8)** __________ statt.

Wir freuen uns auf Ihren Besuch!

	a)	b)	c)
1.	a) Ecke	b) Grenze	c) Kreuzung
2.	a) erzählt	b) spricht	c) sagt
3.	a) Rätoromanisch	b) Russisch	c) Spanisch
4.	a) in	b) auf	c) aus
5.	a) gab	b) gibt	c) hat gegeben
6.	a) Geschäfte	b) Läden	c) Pharmakonzerne
7.	a) hat	b) ist	c) liegt
8.	a) Veranstaltungen	b) Informationen	c) Gebäude

Stadt und Land

Seite 108	Aufgabe 1

1 Auf dem Land oder in der Stadt? Was passt? Bitte verbinden Sie.

① Die Luft auf dem Land ist
② Das Landleben ist gesünder
③ Kilchberg liegt etwa 30
④ Es gibt viele Argumente
⑤ Das Leben in Basel ist viel
⑥ Die Mieten in der Stadt

A für das Wohnen auf dem Land.
B sind viel höher als auf dem Land.
C als das Stadtleben.
D interessanter als das Leben in Kilchberg.
E sauberer als in der Stadt.
F Kilometer südlich von Basel.

1	*E*
2	
3	
4	
5	
6	

2 Argumente für das Landleben und Argumente für das Stadtleben. Ordnen Sie zu.

~~Luft: sauberer~~ **~~viele Kinos und Theater~~**
Mieten: niedriger **viel Natur** **Leben: interessanter** **Leben: billiger**
Kulturangebot: besser **mehr Arbeitsplätze**

Argumente für das Landleben

Die Luft ist sauberer.

Argumente für das Stadtleben

Es gibt viele Kinos und Theater.

Seite 109	Aufgabe 2–4

1 Adjektiv oder Komparativ? Bitte ordnen Sie zu.

~~mehr~~ **gut** **~~hoch~~** **interessanter** **ruhig** **teurer**
gern **groß** **besser** **lieber** **schnell** **höher** **viel**
billig **dunkler** **gesünder**

Adjektiv	Komparativ
hoch,	*mehr,*

2 Bitte finden Sie die Form und ergänzen Sie.

1. schön: Für die Kinder ist das Landleben *schöner* ______ als das Stadtleben.
2. sauber: Die Luft in Kilchberg ist ______ als in Basel.
3. interessant: Das Leben in der Stadt ist ______ als das Landleben.
4. niedrig: Die Mieten in Kilchberg sind ______ als in Basel.
5. ruhig: In Kilchberg ist das Leben ______ als in Basel.
6. bequem: Das Leben in der Stadt ist ______ als das Leben auf dem Land.

3 Bitte schreiben Sie Sätze.

1: schnell / langsam fahren — 3: schlecht / gut fotografieren — 5: klein / groß sein

2: interessant / uninteressant sein — 4: billig / teuer sein — 6: zufrieden / unzufrieden

1. *Der Zug fährt schneller als der Bus. Der Bus fährt langsamer als der Zug.*
2. ______
3. ______
4. ______
5. ______
6. ______

4 Markieren Sie die Komparative.

1. sauber	8. weniger	15. voller	22. wärmer
2. (näher)	9. gut	16. teurer	23. älter
3. warm	10. hoch	17. lang	24. höher
4. alt	11. nah	18. lieber	25. voll
5. gern	12. mehr	19. dunkler	26. länger
6. viel	13. teuer	20. leer	27. leerer
7. besser	14. dunkler	21. sauberer	28. wenig

5 Hier gibt es einen Umlaut. Bitte schreiben Sie Sätze mit dem Komparativ.

1. Das Landleben – gesund – Leben in der Stadt
   Das Landleben ist gesünder als das Leben in der Stadt.
2. Das Theater – nah – das Museum
   ______
3. Frankreich – groß – die Schweiz
   ______
4. Basel – alt – Kilchberg
   ______
5. Italien – warm – Deutschland
   ______
6. Der Rhein – lang – die Elbe
   ______

6 Beat und Rezzo wollen einen Tisch kaufen. Ergänzen Sie den Komparativ.

Beat Leuenberger: Wie findest du den Tisch da?
Rezzo: Nicht so schön. (gern) Ich möchte *lieber* ______ den Tisch dort.
Beat Leuenberger: (hoch, dunkel) Schau mal, Beat, der ist viel ______ und ______.
Rezzo: (viel) Der kostet aber auch ______!
(teuer) Na ja, er ist ______. (gut) Aber dafür ist die Qualität ______.

7 Wer macht was lieber? Bitte schreiben Sie.

	wandern	ins Kino gehen	joggen	Fahrrad fahren	Musik machen	Krimis lesen
Ich, mein Mann			+			++
Wir, unsere Kinder			+		++	
Inge, Johannes	+				++	
Familie Schulz, Familie Troll				+		++
Emil, Beat		+		++		
Urs, seine Frau	+	++				

+ = gern, ++ = lieber

1. *Ich jogge gern, aber mein Mann liest lieber Krimis.*
2. ______
3. ______
4. ______
5. ______
6. ______

8 *sagen, sprechen, erzählen.* Was passt? Bitte markieren Sie.

1. ☒ Sagen ☐ Sprechen ☐ Erzählen Sie mal, spielen Sie auch Tennis?
2. In Basel gibt es viele Museen, ☐ sagt ☐ spricht ☐ erzählt meine Mutter.
3. ☐ Sagen ☐ Sprechen ☐ Erzählen Sie gut Französisch?
4. Der Vater hat in den Ferien jeden Abend eine Geschichte ☐ gesagt ☐ gesprochen ☐ erzählt.
5. Bitte ☐ sagen ☐ sprechen ☐ erzählen Sie ein bisschen lauter.
6. Was haben Sie gestern gemacht? ☐ Sagen ☐ Sprechen ☐ Erzählen Sie mal!

9 Urlaub machen, aber wo?

a) Ergänzen Sie Wortkarten mit dem Gegenteil.

~~gern~~ wenig schlecht gesund laut
billig unfreundlich sauber

______	teuer	______	gut
ungesund	______	ruhig	______

gern	______	viel	freundlich
nicht gern	schmutzig	______	______

b) Das Ehepaar Bertschi diskutiert. Ergänzen Sie die Komparative.

Herr Bertschi sagt:

Ich möchte Urlaub in einer Großstadt machen, ich finde das Kulturangebot dort interessant.

Frau Bertschi möchte Urlaub auf dem Land machen. Was sagt sie?

1. Urlaub in der Stadt ist teuer, Urlaub auf dem Land ist viel *billiger* ______.
2. In einer Großstadt ist es laut, auf dem Land ist es viel ______.
3. In der Stadt sind die Leute unfreundlich, in den Dörfern sind die Leute viel ______.
4. Das Kulturangebot ist nicht schlecht, aber auf dem Land sind die Sportmöglichkeiten ______.
5. Ich besichtige nicht gern Kirchen, ich fahre ______ Fahrrad.
6. Auch in der Stadt kann man spazieren gehen, aber auf dem Land gibt es ______ Möglichkeiten für Spaziergänge.
7. Die Luft in der Stadt ist schmutzig, auf dem Land ist sie viel ______.
8. Zwei Wochen in einer Großstadt sind sehr ungesund, Urlaub in einem Dorf ist viel ______.

Pendeln – aber wie?

Seite 110/111	Aufgabe 1–5

1 Vier Pendler erzählen

a) Bitte lesen Sie und markieren Sie die Superlative.

Urs Tschäni	Also, ich nehme die Bahn. Das ist am schnellsten. Oder ich nehme den Bus. Der ist am bequemsten, der fährt direkt zu meiner Firma.
Reto Stämpfli	Ich muss mit dem Auto fahren. Das ist für mich am besten, meine Arbeitszeiten sind so unregelmäßig. Außerdem höre ich gern laut Musik auf der Fahrt nach Hause.
Emil Maurer	Ich nehme die Bahn. Da gibt es keinen Stau. Aber in Basel muss ich umsteigen in das Tram. Das Tram ist morgens und nachmittags am vollsten, da kann man nie sitzen.
Beat Leuenberger	Ich fahre bei Wind und Regen mit dem Velo. Das am gesündesten und am billigsten. Aber mein Chef fährt manchmal mit dem Taxi. Das ist natürlich am teuersten!

b) Bitte ergänzen Sie.

1. Die Bahn ist *am schnellsten* ______.
2. Der Bus ist ______.
3. Das Auto ist ______.
4. Das Tram ist morgens und nachmittags ______.
5. Das Fahrrad ist ______ und ______.
6. Das Taxi ist ______.

2 Was ist am besten? Bitte antworten Sie mit dem Superlativ.

gesund **hoch** **~~umweltfreundlich~~** **schnell** **ruhig** **teuer**

1. das Auto – das Fahrrad – der Zug? *Das Fahrrad ist am umweltfreundlichsten.*
2. Obst – Wurst – Marmelade? ______
3. die Straßenbahn – das Flugzeug – das Schiff? ______
4. in der Großstadt – auf dem Dorf – in der Kleinstadt? ______
5. der Münsterturm – ein Hochhaus – der Berg Monte Rosa? ______
6. ein Fußball – ein Computer – ein Ei? ______

3 Superlative mit *-est*. Bitte ergänzen Sie.

1. gesund: Emil isst gern Obst, das ist auch am *gesündesten* ______.
2. interessant: Ich gehe oft ins Konzert, die kulturellen Veranstaltungen sind in Basel am ______.
3. schlecht: Von den vier Sprachen in der Schweiz spreche ich Französisch am ______.
4. laut: Der Verkehr ist in Basel am ______.
5. berühmt: Die Schokolade aus der Schweiz ist am ______.
6. heiß: Wo ist der Kaffee am ______?

4 Was fehlt? Ergänzen Sie bitte die Tabelle.

	Adjektiv	Komparativ	Superlativ
1.	groß	größer	*am größten*
2.	alt		am ältesten
3.	interessant	interessanter	
4.	teuer		am teuersten
5.		mehr	am meisten
6.	hoch		am höchsten
7.		besser	am besten
8.	dunkel		am dunkelsten

5 Adjektiv – Komparativ – Superlativ. Vergleichen Sie bitte.

~~warm~~ **dunkel** **alt** **voll**

a) Welches Adjektiv passt?

1. das Land: *warm*
2. das Glas: ______
3. die Brille: ______
4. der Mann: ______

b) Welches Land ist am wärmsten?

Welches Land ist am wärmsten?
England ist wärmer als Russland,
aber Indien ist am wärmsten.

Welche Brille ist

1 2 3

6 Kennen Sie die Schweiz? Bitte ergänzen Sie und ordnen Sie zu.

Schweizerdeutsch | die Universität Basel | Graubünden (7105 km²) | Monte Rosa (4634 m) | Schokolade | ~~Zürich~~

1. (bekannt) Welche Stadt in der Schweiz ist _am_ _bekanntesten_? – _Zürich._
2. (hoch) Welcher Berg ist ______ ______________? – ______________
3. (alt) Welche Universität in der Schweiz ist ______ ______________? – ______________
4. (berühmt) Welches Produkt aus der Schweiz ist ______ ______________? – ______________
5. (groß) Welcher Kanton ist ______ ______________? – ______________
6. (viel) Welche Sprache spricht man in der Schweiz ______ ______________? – ______________

7 Vier Personen. Bitte vergleichen Sie.

	Ilona	Marcel	Regula	Hugo
1. sportlich sein		+	++	+++
2. groß sein	+++	++	+	
3. zufrieden sein	+	++	+++	
4. gesund leben	+		+++	++

1. _Marcel ist sportlich, Regula ist sportlicher, Hugo ist am sportlichsten._
2. ______________________________
3. ______________________________
4. ______________________________

8 Adjektiv, Komparativ oder Superlativ. Was passt? Bitte markieren Sie.

1. Ich wohne ☒ lieber ☐ am liebsten hier in der Stadt als auf dem Land.
2. Natürlich gibt es in der Stadt ☐ viel ☐ mehr Verkehr als auf dem Land, aber man braucht kein Auto, denn das Tram und der Bus fahren überall hin.
3. Ich fahre jeden Morgen nur 15 Minuten mit dem Velo zur Arbeit. Aber meine Kollegin aus Kilchberg muss sehr ☐ früh ☐ am frühsten aufstehen.
4. Sie fährt ☐ länger ☐ am längsten als eine Stunde bis zur Firma.
5. In Basel ist immer etwas los. Dort gibt es ☐ viel ☐ mehr kulturelle Angebote als auf dem Land.
6. Moderne Kunst z. B. finde ich ziemlich ☐ interessant ☐ am interessantesten.

9 Ergänzen Sie *als* oder *wie*.

1. Der Bus ist nicht so bequem _wie_ die Bahn.
2. Mit dem Bus ist Urs genauso schnell ______ mit dem Zug.
3. Die Wohnungen in Kilchberg sind billiger ______ in Basel.
4. Fahrrad fahren ist in der Stadt gefährlicher ______ im Dorf.
5. Oft sind die Menschen auf dem Land freundlicher ______ die Leute in der Stadt.
6. Das Fahrrad von Urs war genauso teuer ______ das Fahrrad von Beat.

Arbeiten in Basel

Seite 112/113	Aufgabe 1–6

1 Arbeiten in Basel. Bitte schreiben Sie Sätze.

1. fahren / Täglich / zur Arbeit / Grenzgänger / ca. / in / 28 000 / die / Schweiz / .
   Täglich fahren ca. 28 000 Grenzgänger zur Arbeit in die Schweiz.
2. und / ist / Herr / Pendler / Eberle / Grenzgänger / .
   ____
3. Schweiz / wohnt / in / Er / in / arbeitet / und / der / Deutschland / .
   ____
4. Basel / Auto / mit / er / Morgen / Jeden / fährt / dem / nach / .
   ____
5. Chemielaborant / ist / Er / Pharmakonzern / arbeitet / einem / und / bei / .
   ____
6. Firma / seiner / In / arbeiten / aus / viele / Deutschland / Leute / .
   ____

2 Was passt zusammen? Bitte kombinieren Sie.

① Beat hat Urlaub. Er fährt heute
② Urs ist krank. Er kommt gerade
③ Viele Leute pendeln
④ Die Grenzgänger sind oft
⑤ Herr Eberle arbeitet
⑥ Frau Bürgi kommt

A aus der Kantine.
B bei einem Pharmakonzern.
C aus Deutschland.
D zur Arbeit nach Basel.
E zu seinen Freunden nach Italien.
F vom Arzt.

1	*E*
2	
3	
4	
5	
6	

3 *wo, wohin, woher?* Bitte markieren Sie das richtige Fragewort.

	Woher?	Wo?	Wohin?
1. in der Schweiz Urlaub machen	☐	☒	☐
2. zur Arbeit fahren	☐	☐	☐
3. aus dem Umland kommen	☐	☐	☐
4. bei der Bank arbeiten	☐	☐	☐
5. von der Arbeit kommen	☐	☐	☐
6. zu den Kollegen gehen	☐	☐	☐

4 *Woher, wo* und *wohin*? Bitte lesen Sie und ergänzen Sie die Tabelle.

	Woher? ? ⟶	Wo? (?)	Wohin? ⟶ ?
	aus	**in**	**nach**
Stadt	aus ___ Kilchberg	in ___ Basel	nach ___ Zürich
Land	___ Deutschland	___ Frankreich	___ Italien
	aus + Dativ	**in + Dativ**	**in + Akkusativ**
Achtung: Länder mit Artikel	___ d___ Schweiz	___ d___ Schweiz	___ d___ Schweiz
der Supermarkt	aus dem Supermarkt	im ___ Supermarkt	in den Supermarkt
die Schule	___ d___ Schule	___ d___ Schule	___ d___ Schule
das Kino	___ d___ Kino	___ Kino	___ Kino
	von + Dativ	**bei + Dativ**	**zu + Dativ**
der Zoll	vom ___ Zoll	beim ___ Zoll	zum ___ Zoll
die Arbeit	___ d___ Arbeit	___ d___ Arbeit	zur ___ Arbeit
das Theater	___ Theater	___ Theater	___ Theater
Martin Miller	von ___ Martin Miller	bei ___ Martin Miller	zu ___ Martin Miller
Frau Bürgi	___ Frau Bürgi	___ Frau Bürgi	___ Frau Bürgi
der Arzt	vom ___ Arzt	beim ___ Arzt	zum ___ Arzt
die Kursleiterin	___ d___ Kursleiterin	___ d___ Kursleiterin	zur ___ Kursleiterin

5 Bitte ergänzen Sie die Präpositionen.

a) Woher? Ergänzen Sie *aus, von / vom*.

1. Ich komme aus ___ Basel.
2. Sie kommt ___ dem Kaufhaus.
3. Die Computer hier kommen ___ Korea.
4. Er kommt ___ der Ärztin.
5. Wir kommen ___ Zoll.

b) Wo? Ergänzen Sie *in / im, bei / beim*.

1. Er ist gerade beim ___ Arzt.
2. Lea ist ___ der Schneiderin.
3. Die Lehrerin arbeitet ___ der Schule.
4. Die Kinder sind ___ ihren Freunden.
5. Kaufen Sie die Tomaten ___ Supermarkt?
6. Wir arbeiten ___ Novaplus, einer Chemie-Firma.

c) Wohin? Ergänzen Sie *nach, in, zu / zum / zur*.

1. Von Montag bis Freitag fährt Herr Eberle jeden Morgen zur ___ Arbeit.
2. Er fährt ___ seiner Firma.
3. Heute muss er zuerst ___ Chef gehen.
4. Danach geht er ___ sein Büro.
5. Am Abend fährt er zurück ___ Weil am Rhein.

6 Ein Abend bei Familie Eberle. Ergänzen Sie bitte *aus, bei, mit, von, vom, zum, zur.*

1. Herr Eberle kommt erst um 20 Uhr _von_____ der Arbeit. Er hatte eine Diskussion ________ seinem Kollegen. Er ist müde. Morgens geht er immer vor 7 Uhr ________ dem Haus und fährt ________ dem Auto ________ Arbeit.
2. Frau Eberle ist nervös. Sie kommt gerade ________ Freiburg ________ Arzt. Drei Stunden hat sie ________ ihm gewartet. Dann hat sie ________ Zentrum bis ________ Stadtgrenze im Stau gestanden.
3. Tochter Sabine ist ärgerlich. Sie möchte heute Abend ________ Französischkurs nach Basel fahren. Danach möchte sie ________ ihrer Freundin einen Film sehen. Und sie möchte ________ dem Auto von Papa fahren. Aber ihr Vater ist viel zu spät ________ der Arbeit gekommen.

7 Ergänzen Sie die Artikel oder die Endungen.

1. Sie liest bei_m_______ Frühstück immer die Zeitung.
2. Heute muss ich bei ________ Schneiderin ein Kleid anprobieren.
3. Am Montag gehe ich zu______ Arzt.
4. Um 17 Uhr kommen die Leute aus ________ Fabrik.
5. Ich brauche von ________ Firma bis nach Hause etwa eine halbe Stunde.
6. Wir gehen jetzt zu________ Fußballplatz.
7. Herr Eberle fährt meistens mit ________ Auto.
8. Ich komme aus ________ Kleinstadt Weil am Rhein.

8 Fragen an Rainer Eberle. Schreiben Sie bitte.

1. ▶ Woher kommen Sie? ◁ _Ich komme aus Weil am Rhein._ (Weil am Rhein)
2. ▶ In welcher Stadt haben Sie früher gearbeitet ? ◁ ____________________ (Basel)
3. ▶ Wo arbeiten Sie? ◁ ____________________ (ein Pharmakonzern)
4. ▶ Woher kommen Ihre Kollegen? ◁ ____________________ (die Schweiz)
5. ▶ Wohin fahren Sie heute? ◁ ____________________ (der Arzt)
6. ▶ Woher kennen Sie Frau Bürgi? ◁ ____________________ (die Arbeit)
7. ▶ Wohin gehen Sie heute Abend? ◁ ____________________ (Freunde / Pl.)
8. ▶ Wo sind Sie da? ◁ Schluss jetzt! Ich sage kein Wort mehr!

9 Ergänzen Sie bitte *erst* oder *schon*.

1. ▶ Kommst du heute nach Hause? ◁ Nein, ich komme _erst_______ morgen.
2. ▶ Du musst noch die Fenster putzen. ◁ Nein, das habe ich ____________ gemacht.
3. ▶ Ist der Zug ____________ weg? ◁ Ja, der ist gerade abgefahren.
4. ▶ Ist Paul schon da? ◁ Nein, er kommt ____________ in einer halben Stunde.
5. ▶ Hast du einen Augenblick Zeit? ◁ Nein, ich habe keine Zeit mehr. Es ist ____________ 21 Uhr.
6. ▶ Hast du heute Zeit? ◁ Ja, jetzt habe ich Zeit. Es ist ja ____________ 19 Uhr.

Basel international

Seite 114/115	Aufgabe 1–6

1 Frau Bürgi und ihre Kollegen

a) Lesen Sie den Text.

Seit drei Monaten arbeitet Maria Bürgi in einer Basler Firma. Dort arbeiten Leute aus vielen Ländern. Frau Bürgi hat viel Kontakt zu den Kollegen aus ihrer Abteilung. Sie arbeitet gern mit ihnen zusammen. Mit einer Kollegin ist sie besonders gut befreundet. Sie kommt aus Indien und spricht nur Englisch mit ihr. Sie arbeitet schon lange in der Firma und Frau Bürgi kann von ihr viel lernen. Ein anderer Kollege kommt aus dem Libanon. Er arbeitet mit Frau Bürgi in einem Büro und spricht besser Französisch als Deutsch. Frau Bürgis Chef ist Schweizer. Mit ihm hat sie keine Probleme, denn er ist sehr freundlich. Er kommt übrigens aus dem Tessin. Seine Muttersprache ist Italienisch.

b) Richtig (r) oder falsch (f)? Bitte markieren Sie.

1. Frau Bürgi arbeitet bei einer Bank in Basel. ________ r f
2. Sie kennt die Kollegen aus ihrer Abteilung. ________ r f
3. Ihre Freundin kommt aus Indien. ________ r f
4. Frau Bürgi spricht nie Englisch mit ihr. ________ r f
5. Der Kollege aus dem Libanon spricht schlecht Französisch. ________ r f
6. Frau Bürgis Chef spricht Italienisch. ________ r f

2 Frau Bürgi zeigt Fotos von ihren Kollegen. Ergänzen Sie *ihm, ihr* oder *ihnen*.

1. Das sind meine Kollegen. Mit *ihnen* arbeite ich zusammen.
2. Das ist Herr Nöll aus Deutschland. Zu ________ habe ich wenig Kontakt.
3. Das ist meine Kollegin Pia. Mit ________ bin ich gut befreundet.
4. Das sind die Kolleginnen aus Frankreich. Von ________ habe ich viel gelernt.
5. Das ist mein Chef. Mit ________ habe ich keine Probleme.
6. Und das ist Herr Sprüngli. Mit ________ spiele ich manchmal Tennis.

3 Finden Sie das passende Pronomen.

1. Sprichst du gern mit den Kollegen? — Ja, ich spreche gern mit *ihnen* ________.
2. Spielst du oft mit Timo? — Ja, ich spiele oft mit ________.
3. Kommen Sie morgen Abend zu mir? — Ja, ich komme sehr gern zu ________.
4. Seid ihr zufrieden mit uns? — Ja, wir sind sehr zufrieden mit ________.
5. Lernst du gern zusammen mit Nina? — Ja, ich lerne gern mit ________.
6. Bist du gut befreundet mit Andrea und Nina? — Ja, ich bin gut befreundet mit ________.

4 Fairouz macht ihre Hausaufgaben für den Deutschkurs. Schreiben Sie das richtige Pronomen auf.

1. Ich komme aus dem Libanon, aus Beirut. Jetzt arbeite ich bei einer Chemie-Firma. Meine Kollegen sind nett. Ich arbeite gern mit *ihnen* ____ zusammen.
2. Mein Chef war schon einmal im Libanon. Manchmal spreche ich mit ________ über mein Land.
3. Am liebsten mag ich meine Kollegin Ursula. Ich trinke oft Kaffee bei ________ im Büro. Ich brauche sie oft für meine Deutsch-Hausaufgaben.
4. Gestern hat sie zu ________ gesagt: „Du sprichst schon gut Deutsch. Vielleicht willst du mal mit ________ ins Kino gehen?“ Aber ich glaube, das verstehe ich noch nicht.

5 In Basel arbeiten Menschen aus der ganzen Welt. Bitte ergänzen Sie.

Mann	Frau	Adjektiv	Land
1. der *Japaner*	die	japanisch	
2. der Chilene	die		
3. der	die		Rumänien
4. der	die	dänisch	
5. der Ungar	die		
6. der	die	polnisch	
7. der	die	britisch	
8. der	die Amerikanerin		
9. der	die	schweizerisch	
10. der Deutsche	die		

6 Frau Bürgis Kollegen sprechen viele Sprachen. Bitte ergänzen Sie.

1. Die Inderin spricht *Englisch* ____. — Sie kommt aus Kalkutta. Das liegt in *Indien* ____.
2. Die Russin spricht ________. — Sie kommt aus Moskau. Das liegt in ________.
3. Die ________ spricht ________. — Ihre Familie wohnt in Prag. Das ist in Tschechien.
4. Der Italiener spricht ________. — Sein Bruder arbeitet in Mailand. Das liegt in ________.
5. Die Französin spricht ________. — Ihre Eltern leben in Marseille. Das ist in ________.
6. Der ________ spricht Polnisch. — Seine Frau wohnt in Krakau. Das liegt in ________.
7. Die Koreanerin spricht ________. — Ihre Familie lebt in Seoul. Das liegt in ________.
8. Der Schwede spricht ________. — Seine Eltern kommen aus Stockholm. Das liegt in ________.

7 Welche Sprachen sind das?

Schweizerdeutsch ~~Englisch~~ Indonesisch Arabisch Russisch Türkisch

1 Hello.
2 Merhaba.
3 Здравствуйте.
4 Selamat siang.
5 أهلا و سهلا
6 Grüezi.

1. *Das ist Englisch.*
2. Das ist ______.
3. Das ist ______.
4. Das ist ______.
5. Das ist ______.
6. Das ist ______.

8 Ländernamen mit Artikel

a) Tragen Sie die Länder in die Tabelle ein.

1. Fairouz kommt aus dem Libanon.
2. Adrie und Tinike kommen aus den Niederlanden.
3. Matthias kommt aus der Schweiz.
4. Halil kommt aus der Türkei.
5. Firouzeh kommt aus dem Iran.
6. Mary und John kommen aus den USA.

1. *der Libanon*
2. ______.
3. ______.
4. ______.
5. ______.
6. ______.

b) Ergänzen Sie die Präposition und den Artikel.

1. Matthias fährt nach Hause, er fährt *in die* Schweiz.
2. Halil fährt lieber ______ ______ Türkei.
3. Firouzeh wohnt nicht mehr ______ Iran.
4. Adrie und Tinike reisen morgen ______ ______ Niederlande.
5. Fairuz wohnt in Beirut, das liegt ______ Libanon.
6. Mary und John fliegen ______ ______ USA zurück.

9 Kleines Wörterbuch für Schweizerdeutsch. Wo sagt man wie?

das Velo Auf Wiedersehen ~~Guten Tag~~ der Chauffeur die Straßenbahn der Euro

In der Schweiz	In Deutschland
1. Grüezi	*Guten Tag*
2. Uf Wiederluege	
3.	das Fahrrad
4. Schweizer Franken	
5.	der Fahrer
6. das Tram	

Aus der Basler Zeitung

Seite 116	Aufgabe 1

1 Familie Bayer sucht in der Zeitung

a) Bitte lesen Sie.

1

Tanzen lernt man beim Profi

Salsa Merengue Discofox Tango Walzer

TMK

TANZ-SCHULE MICHAEL KELLER

Schützenstrasse N° 8/1, 4007 Basel
Telefon 061/5734081 · Telefax 061/3734080

Party Action Swing Cha Cha

2

OCCASIONEN

VOLLGARANTIE 12 Mt. – FINANZIERUNG

Corsa 1.4, Aventage, 3 Türen	99	21 500 km	Fr. 15 900,–
Astra 2.0, CDX, weiss	99	19 000 km	Fr. 22 800,–
Astra Cabrio 1.8, mét.	95	50 000 km	Fr. 14 800,–
Vectra 2.0, CDX, 5 Türen	96	38 100 km	Fr. 19 800,–
Vectra 2.0, 5 Türen	93	126 000 km	Fr. 7 600,–
Calibra 2.5, Diamond, mét.	97	46 000 km	Fr. 22 800,–
Omega 2.0, Business, Aut.	99	14 800 km	Fr. 29 900,–
Frontera 2.0, Diamond, 5 Türen	96	73 000 km	Fr. 23 900,–
Ford Escort 1.8, Ghia	96	45 000 km	Fr. 13 900,–
Rover 620, 4 Türen	96	35 100 km	Fr. 14 800,–
Volvo S40, 2.0, 4 Türen	98	18 000 km	Fr. 25 500,–
Fiat Punto Selecta	96	26 800 km	Fr. 9 900,–
Chrysler 3.3, Voyager	95	61 400 km	Fr. 18 500,–
Toyota Carina, 5 Türen	93	100 800 km	Fr. 9 800,–
Citroën Xantia 2.0, 5 Türen	97	71 000 km	Fr. 13 900,–

Böhi
Lausenerstrasse, Liestal, 061/9279400

3

Paolo Giotto
Scuola Italiana
Modernes Schweizer Institut
für die Pflege und Verbreitung unserer dritten Landessprache

ITALIENISCH
Sommersemester 2. April
- Privatstunden
- Gruppenstunden
(max. 6 Personen)

Telefonische Voranmeldung erwünscht
Margarethenstr. 6, 4053 Basel
Telefon 061/3839021

6

ALLSCHWIL
Burgenweg 28–38
4½-Zimmer-Wohnungen im 1. und 2. OG, grosszügige Wohnanlagen im Grünen in kinderfreundlicher Umgebung
- MZ ab Fr. 2202,80 inkl. NK
- per sofort oder n. V.
- alle mit 105 m² Wohnfläche
- Wohnzimmer, Elternzimmer, Halle und Gang mit Parkett
- Zimmer mit Linoleum
- separates WC
- Réduit

bellacasa
Immobilien-Dienstleistungen
Gertrud Dippler
Telefon 061/2709079
gertrud.dippler@bellacasa.ch
www.bellacasa.ch

4

Restaurant Dreiländereck.
Einmalig in der Schweiz.
Herausragend in der Region.

Eine Trauminsel am schönsten Eck von Basel! Restaurant für Geniesser, Panoramasicht auf drei Länder. Grosse Sonnenterrasse direkt am Rhein. Gratisparkplätze.

Schön, Sie bei uns begrüssen zu dürfen.

RESTAURANT · DREILÄNDERECK
am Dreiländereck · Basel · Tel. 081/6388840

5

Nachhilfe
Vermittlung von Privatunterricht für Schüler + Erwachsene
Region BS / BL
Fr: 30–40,–/Lektion
Rund 130 Lehrer für Mathe, Sprachen, EDV, Physik, Musik
Schulbörse GmbH
6849100
www.schulboerse.ch
info@schulboerse.ch

b) Welcher Text passt? Notieren Sie die Nummern.

1. Herr Bayer und seine Familie suchen eine Wohnung. Text Nr. 6
2. Er braucht auch ein neues Auto. Text Nr. ______
3. Herr Bayer und seine Frau möchten einen Tango-Kurs machen. Text Nr. ______
4. Am Wochenende will die Familie in ein Restaurant gehen. Alle möchten einmal typisch Schweizer Essen probieren. Text Nr. ______
5. Für seinen Sohn sucht Herr Bayer einen Musiklehrer. Text Nr. ______
6. Frau Baake-Bayer möchte in einer Sprachschule Italienisch lernen. Text Nr. ______

Lektion 10

Glückaufstraße 14, Bochum

Seite 118/119	Aufgabe 1–2

1 Ein Haus. Was ist was?

die Treppe **der Balkon** **der Laden** **das Treppenhaus**
die Garage **das Erdgeschoss** **das Dachgeschoss** **~~erster Stock~~**

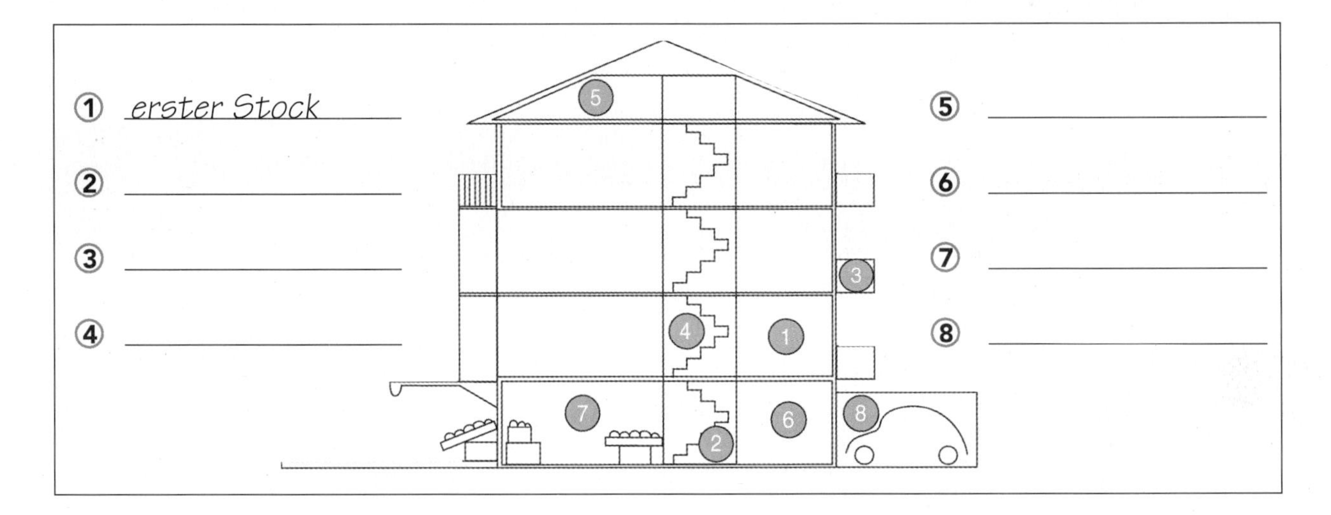

2 Wie heißen die Zimmer?

die Küche **das Bad**
das Wohnzimmer
das Schlafzimmer
das Kinderzimmer
~~das Esszimmer~~

1. In diesem Zimmer isst man: *das Esszimmer*.
2. In diesem Zimmer gibt es eine Dusche: ______.
3. In diesem Zimmer spielen die Kinder: ______.
4. In diesem Zimmer sieht man fern: ______.
5. In diesem Zimmer schlafen die Eltern: ______.
6. Hier kocht man: ______.

3 Die Wohnungen. Lesen Sie im Kursbuch Seite 44, Aufgabe 1. Richtig (r) oder falsch (f)?

1. Die Wohnung im Erdgeschoss hat einen Hof. ______ r f
2. Die Wohnung im dritten Stock hat ein Kinderzimmer. ______ r f
3. Die Wohnung im ersten Stock hat vier Zimmer. ______ r f
4. Die Wohnung im Erdgeschoss hat einen Balkon. ______ r f
5. Die Wohnung im zweiten Stock hat eine Garage. ______ r f
6. Das 1-Zimmer-Appartement ist im Dachgeschoss. ______ r f

4 Hans-Peter Thalers neue Wohnung

a) Wie heißen die Wörter?

-der- Erd- ~~Ga-~~ -kon -nung -pen- -zim- Kin- ~~-ra-~~
Woh- ~~-ge~~ Bal- -haus -schoss -ge- Trep- -mer

- *Garage* ____________________
- ____________________
- ____________________
- ____________________
- ____________________
- ____________________

b) Bitte ergänzen Sie die Wörter aus a).

Hans-Peter Thaler ist umgezogen. Er hat jetzt eine 2-Zimmer-*Wohnung*__________ mit Küche, Bad, Wohn-Schlafzimmer und ____________________. Er hat nämlich einen Sohn. Aber er sieht ihn nur am Wochenende.
Früher hat Hans-Peter im Dachgeschoss gewohnt, jetzt wohnt er im ____________________. Die Wohnung hat leider keinen ____________________. Für sein Auto hat Hans-Peter Thaler auch eine ____________________. Sein Fahrrad steht aber im ____________________.

5 Die Bewohner. Was wissen Sie? Schreiben Sie bitte.

1. Jochen Krause, 2 Kinder, Zahntechniker, 4-Zimmer-Wohnung, 1. Stock, Balkon
   Das ist Jochen Krause. Er hat 2 Kinder und ist von Beruf Zahntechniker. Er hat eine 4-Zimmer-Wohnung und wohnt im 1. Stock. Seine Wohnung hat einen Balkon.
2. Birgül Alak, Ladenbesitzerin, Erdgeschoss, Hof, Garage, kein Balkon
   ____
   ____
3. Tao Gui, Student, aus Singapur, 1-Zimmer-Appartement mit Küchenzeile, Dachgeschoss
   ____
   ____

6 Was hat die gleiche Bedeutung? Kombinieren Sie bitte.

① Ich bin Ladenbesitzerin.
② Was darf es denn sein?
③ Pro Woche mache ich circa 15 Überstunden.
④ Ich bin Hausmann.
⑤ Heute bin ich Frührentner.
⑥ Bald ziehe ich aus!

A Was möchten Sie kaufen?
B Ich arbeite jede Woche mehr als 50 Stunden.
C Ich habe einen Laden.
D Ich wohne bald in einer neuen Wohnung.
E Ich bin erst 58 Jahre alt, aber krank. Ich bin deshalb jetzt schon Rentner.
F Meine Frau arbeitet und ich mache den Haushalt.

1	*C*
2	
3	
4	
5	
6	

Die Zeche Helene

Seite 120	Aufgabe 1–2

1 Die Zeche Helene früher und heute. Bitte sortieren Sie.

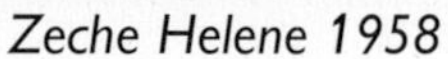

Zeche Helene 1958

Zeche Helene heute

~~die Zeche~~ — das Bergwerk — ~~Sport machen~~ — Kohle abbauen — das Sport- und Freizeitzentrum — das Programm für Kinder — der Bergmann — Sauna und Solarium — wenig Tageslicht — Biergarten im Sommer

früher: *die Zeche,* ______________________

heute: *Sport machen,* ______________________

2 Lesen Sie im Kursbuch Seite 120, Aufgabe 1. Richtig (r) oder falsch (f)?

1. Früher war die Zeche Helene ein Bergwerk. ______ r f
2. Heute arbeiten die Bergleute immer noch dort. ______ r f
3. Frauen dürfen nicht in das Sportzentrum kommen. ______ r f
4. Die Arbeit im Bergwerk war gefährlich. ______ r f
5. Es gibt auch ein Solarium im Sportzentrum. ______ r f
6. Zweimal pro Woche kann man auch Kinder mitbringen. ______ r f

3 Nomen und Verben. Bitte korrigieren Sie.

1. Sport ~~*treffen*~~ *machen*
2. Kohle ~~*sein*~~ ______
3. das Bistro ~~*abbauen*~~ ______
4. seine Freizeit ~~*besuchen*~~ ______
5. Freunde ~~*machen*~~ ______
6. Bergmann ~~*verbringen*~~ ______

4 Das Sport- und Freizeitzentrum AKTIV. Was kann man dort machen?

Tennis spielen | **in das Solarium gehen** | **schwimmen**
Fitness machen | ~~**in die Sauna**~~ **gehen** | **Fußball spielen**

1	2	3	4	5	6

1. *Man kann in die Sauna gehen.*
2. ______
3. ______
4. ______
5. ______
6. ______

Seite 121	Aufgabe 3–4

1 Ein Dialog

a) Bitte ordnen Sie.

A: Du arbeitest in einer Bank? Interessant! Und warum bist du jetzt nach Bochum gekommen?

B: ~~Christiane? Christiane! Was machst du denn hier?~~

C: Ich habe meinen Mann in Bochum kennen gelernt. Deshalb bin ich umgezogen.

D: Angela! Na, so ein Zufall!

E: Also, nach unserem Studium bin ich nach Duisburg umgezogen. Dort habe ich meinen ersten Job in einer Bank gefunden.

F: Ja wirklich. Dich habe ich noch nie hier gesehen.

G: Ja, sehr oft. Fast jeden Tag. Ich wohne hier im Haus. Und du? Was machst du denn so?

H: Nein, ich war auch noch nie hier im Gemüseladen. Ich bin ja neu in Bochum. Und du? Bist du oft hier?

① *B* ② ___ ③ ___ ④ ___ ⑤ ___ ⑥ ___ ⑦ ___ ⑧ ___

b) Wer sagt das?

		Christiane	Angela
1.	Ich wohne noch nicht lange in Bochum.	☒	☐
2.	Ich gehe fast täglich in den Gemüseladen.	☐	☐
3.	Ich habe meinen Mann in Bochum kennen gelernt.	☐	☐
4.	Ich wohne über dem Gemüseladen.	☐	☐
5.	Nach dem Studium habe ich in einer Bank gearbeitet.	☐	☐
6.	Ich habe dich noch nie hier im Gemüseladen gesehen.	☐	☐

2 Wie heißen die Sätze richtig?

1. geht / denn / Wie / dir / so / es / ?
   Wie geht es dir denn so?
2. ewig / gesehen / habe / Ich / schon / dich / mehr / ja / nicht / !
3. Sie / bei Bosch / Arbeiten / noch / immer / ?
4. Erzählen / mal / ein / doch / Sie / bisschen / !
5. in / letzter / denn / hast / Was / gemacht / du / Zeit / so / ?

3 Zwei Schulfreunde – ein Wiedersehen in Dortmund. Was kann Ina sagen?

Wie geht es denn so?

Arbeitest du immer noch bei der Firma Meyer?

~~Ich habe dich ja schon ewig nicht mehr gesehen!~~

Kann ich deine neue Telefonnummer haben? Vielleicht können wir ja mal telefonieren?

Was macht deine Familie?

Wohnst du immer noch in Bergkamen?

Was hast du denn in letzter Zeit so gemacht?

Ich hab dich ja noch nie hier gesehen.

Ina Schmolke	Dietmar Günther
1. ▶ *Ich habe dich ja schon ewig nicht mehr gesehen!*	◁ Ja wirklich. So ein Zufall!
2. ▶	◁ Danke, es geht ganz gut.
3. ▶	◁ Ich wohne nicht weit von hier und komme manchmal auf den Markt.
4. ▶	◁ Ach, ich habe geheiratet – Elvira Ebert, die kennst du doch auch? Wir haben jetzt einen kleinen Sohn. Ich arbeite deshalb nur 30 Stunden pro Woche, ich will mehr Zeit für meine Familie haben.
5. ▶	◁ Nein, wir sind letztes Jahr von Bergkamen nach Dortmund gezogen.
6. ▶	◁ Ja, jetzt bin ich schon 8 Jahre bei dieser Firma.
7. ▶	◁ Ganz gut. Der Kleine ist sehr aktiv und fast nie krank. Meine Frau geht jetzt auch wieder zwei Tage in der Woche arbeiten.
8. ▶	◁ Ja, gern. Meine neue Nummer ist: 0231/471188.

Zwei Biografien

Seite 122/123	Aufgabe 1–5

1 Arbeitsplätze in Deutschland. Bitte sortieren Sie.

Kohle abbauen
Marketingassistentin
~~Überstunden~~ Bergleute
~~Nachtschicht~~
kein Tageslicht Büro
Computer

2 Bitte lesen Sie im Kursbuch Seite 122, Aufgabe 1 und 2. Was sagt Kerstin? Was sagt Otto?

		Kerstin	Otto
1.	Im Alter von 17 Jahren habe ich mit der Arbeit angefangen.	☐	☒
2.	Ich bin Marketingassistentin von Beruf.	☐	☐
3.	Ich hatte früher nur sonntags frei.	☐	☐
4.	Früher wollte ich etwas ganz anderes machen.	☐	☐
5.	Mein Job macht mir Spaß.	☐	☐
6.	Wir hatten auch Nachtschichten.	☐	☐

3 Früher und heute. Ergänzen Sie die Verben.

		Früher	Heute
1.	**wollen**	... *wollte* Klaus nicht Englisch lernen.	... ______ Klaus Englischlehrer werden.
		... ______ seine Nachbarn keine Kinder haben.	... wollen sie am liebsten 6 Kinder haben.
		... wollten wir nie in den Urlaub fahren.	... ______ wir immer nur reisen.
2.	**können**	... *konnte* ich nicht kochen.	... ______ ich für ein Restaurant kochen.
		... ______ du deine Eltern nie besuchen.	... kannst du sie jedes Wochenende besuchen.
		... konntet ihr sehr gut Klavier spielen.	... ______ es leider nicht mehr.
3.	**müssen**	... *mussten* wir oft Nachtschicht machen.	... ______ wir viele Überstunden machen.
		... ______ meine Mutter den Haushalt machen.	... muss mein Vater auch im Haushalt arbeiten.
		... musstest du immer pendeln.	... ______ du in einer kleinen Wohnung in der Stadt wohnen.
4.	**dürfen**	... *durften* Sie Bier trinken.	... ______ Sie nur Wasser trinken.
		... ______ ich nicht ausgehen.	... darf ich ausgehen.
		... durfte das Kind keinen Hund haben.	... ______ es aber eine Katze haben.

4 Was passt? Bitte verbinden Sie.

1. Ich wollte	immer unsere Zimmer aufräumen.
2. Herr Grabowski musste	früher Ärztin werden.
3. Tao und Ying konnten	früher nicht alleine ausgehen.
4. Ihr durftet	oft Nachtschicht machen.
5. Du durftest	als Kinder nie fernsehen.
6. Wir mussten	früher noch nicht Deutsch sprechen.

5 *können, dürfen, wollen, müssen*

a) Ergänzen Sie *können* und *dürfen*.

1. Ich *konnte* es schon, aber ich *durfte* es nicht!
2. Du ______________ es auch, aber du ______________ es auch nicht!
3. Das Kind ______________ es auch, aber es ______________ nicht!
4. Ihr ______________ auch, aber ihr ______________ es nicht!
5. Und sie? Sie ______________ auch Auto fahren. Und sie ______________ es auch!
   Sie waren schon 18 Jahre alt.

b) Ergänzen Sie *wollen* und *müssen*.

1. Ich *wollte* nicht, aber ich *musste*.
2. Mein Bruder ______________ auch nicht, aber auch er ______________.
3. Auch ihr ______________ nicht, aber auch ihr ______________.
4. Meine Tante ______________ auch nicht, aber sie ______________.
5. Eigentlich ______________ wir alle nicht, aber wir ______________ doch zu den Großeltern fahren.

6 Drei Personen erzählen. Ergänzen Sie die Modalverben.

a) *musste* oder *durfte*?

Als Kind *musste* Jochen Krause jeden Tag im Haushalt helfen. Er ____________ jeden Abend früh ins Bett gehen. Nur am Wochenende ____________ er abends lange fernsehen. Er ____________ samstags mit seinen Freunden auf die Party gehen, aber er ____________ um 23 Uhr zu Hause sein. Er ____________ Klavier spielen lernen, aber er hatte keine Lust dazu.

b) *wollte* oder *konnte*?

Thekla Grabowski *wollte* als Kind Köchin werden. Sie ____________ sehr gut kochen. Thekla war früher sehr dick. Sie ____________ immer Schokolade essen. Sie ____________ nicht Flöte spielen, aber sie musste Unterricht nehmen. Thekla war in der Schule sehr schlecht, aber sie ____________ gut Englisch. Sie ____________ für ein Jahr in die USA gehen. Aber dann hat sie Otto getroffen.

c) *durfte nicht* oder *durfte kein-*?

Kerstin Schmittke war einmal bei einer Party. Dort *durfte* man *nicht* rauchen. Man ____________ ____________ Geschenke mitbringen und ____________ ____________ Kuchen essen. Man ____________ ____________ laut singen und auch ____________ Alkohol trinken. Es gab einen Fernseher, aber man ____________ ____________ fernsehen.

7 Die Kindheit von Herrn Filler. Bitte schreiben Sie die Sätze im Präteritum.

Heute ist Herr Filler Chef bei einer internationalen Firma mit über 1000 Angestellten. Aber seine Kindheit war furchtbar.

1. nicht schwimmen können
   Früher konnte er nicht schwimmen.
2. keine Computerspiele machen dürfen
   ____
3. jeden Abend zu Hause bleiben müssen
   ____
4. nicht auf Partys gehen dürfen
   ____
5. immer eine Freundin haben wollen, aber keine finden können
   ____
6. Mathematik studieren müssen
   ____

8 *wollen, dürfen, müssen, können, geben, sein, haben.* Ergänzen Sie im Präteritum.

1. Schon mit 6 Jahren wollte Konstantin Lipowski singen und er ________ sehr gut singen.
2. Er ________ ein Wunderkind und ________ deshalb Sänger werden.
3. Aber es ________ ein Problem.
4. Seine Eltern ________ das nicht. „Dieser Beruf ist nicht sicher und deshalb nicht gut für dich!", hat sein Vater gesagt.
5. Konstantin ________ bei der Bank arbeiten, genau wie sein Vater und sein Großvater.
6. Er ________ nicht selbst entscheiden.
7. Nach ein paar Jahren ________ Konstantin einen neuen Kunden in der Bank: Sebastiano Favarotti, einen berühmten Sänger.
8. Herr Favarotti hat Konstantin nach Hamburg mitgenommen und dort ________ er in der Oper mitsingen.

Lebensmittel Alak

Seite 124/125	Aufgabe 1–5

1 Eine Party. Sechs Wörter passen nicht.

Bratwürste – Salate – Getränke – ~~Überstunden~~ – Musik – Gläser – Nachtschicht – Teller – Kohle – Messer – Gabeln – Löffel – Leergut – Brot – Käse – Obst – Sonderangebot – Treppe

1. Überstunden
2. ________
3. ________
4. ________
5. ________
6. ________

2 Produkte. Ordnen Sie bitte zu.

~~Paket~~	Glas	Flasche	Schachtel	Dose	Kasten	Paket	Tüte

1. Mehl: Paket
2. Öl: ______
3. Honig: ______
4. Mozartkugeln: ______
5. Mineralwasser: ______
6. Waschmittel: ______
7. Fisch: ______
8. Süßigkeiten: ______

3 Im Geschäft

a) Was ist Singular, was ist Plural? Markieren Sie.

	Singular	Plural
1. Kästen	☐	☒
2. Paket	☐	☐
3. Gläser	☐	☐
4. Dose	☐	☐
5. Schachteln	☐	☐
6. Tüten	☐	☐
7. Packungen	☐	☐
8. Flasche	☐	☐

b) Eine Großfamilie kauft ein. Ergänzen Sie bitte im Plural.

Wir brauchen 3 Flaschen Essig, 6 ______ Marmelade und 8 ______ Milch. Für die Großeltern brauchen wir 3 ______ Pralinen. Dann hätten wir gern noch 4 ______ Waschmittel, 7 ______ Fisch, 5______ Reis und 4 ______ Wasser. Das ist alles!

OLIVEN

BESTER KAFFEE

Oma's Marmelade

4 Bitte sortieren Sie.

Karotten · Äpfel · Schinken · Käse · Orangensaft · Schokolade · Traubensaft · Zwiebeln · Orangen · Schnitzel · Birnen · Pralinen · Käse · Joghurt · Wurst · Lauch · Butter · ~~Apfelsaft~~ · Mozartkugeln

1. Getränke: Apfelsaft, ______
2. Gemüse: ______
3. Obst: ______
4. Fleisch: ______
5. Süßigkeiten: ______
6. Molkereiprodukte: ______

5 Wie viel ist das? Schreiben Sie bitte.

1. Wie viel Kilo sind 2500 Gramm? Das sind 2,5 ________ kg.
2. Wie viel Gramm sind 3 Pfund? Das sind ________ g.
3. Wie viel Pfund sind 4,5 Kilo? Das sind ________ Pfd.
4. 750 g und 3,5 Pf sind ________ kg.
5. 5 kg und 2 Pfund sind ________ g.
6. Wie viel Kilo sind 2 Liter Wasser? Das sind ________ kg.

6 *kostet* oder *kosten*? Ergänzen Sie bitte.

1. Wie viel kosten ________ die Orangen?
2. Was ________ ein Pfund Tomaten?
3. Wie viel ________ der Kasten Bier?
4. Was ________ zwei Kilo Hackfleisch?
5. Wie viel ________ 100 Gramm Appenzeller Käse?
6. Was ________ das alles zusammen?

7 Frau Grabowski bei Lebensmittel Alak. Welches Wort passt?

Frau Grabowski	Hallo, Frau Alak.
Frau Alak	Guten Morgen, Frau Grabowski. Was **(1)** ________ ich für Sie tun?
Frau Grabowski	Gibt es heute frischen **(2)** ________ ? Ich hätte gern 2 Kilo.
Frau Alak	Tut mir Leid, Frau Grabowski. Fisch haben wir doch nur **(3)** ________.
Frau Grabowski	Ja, richtig. Dann geben Sie mir bitte zwei Putenschnitzel. Was **(4)** ________ denn 100 g?
Frau Alak	69 Cent. So, bitte schön. **(5)** ________ noch etwas, Frau Grabowski?
Frau Grabowski	Ja, ich brauche noch einen Kopfsalat und zwei Gläser **(6)** ________.
Frau Alak	Hier. So, das **(7)** ________ zusammen 13,95 €.
Frau Grabowski	Bitte sehr. Tschüs, Frau Alak.
Frau Alak	Danke und auf Wiedersehen, Frau Grabowski. Noch einen schönen Tag!
Frau Grabowski	Ach ja, ich habe doch noch etwas vergessen. Ich wollte noch **(8)** ________ abgeben!

1. a) konnte b) kann c) muss
2. a) Persil b) Hackfleisch c) Fisch
3. a) sonntags b) abends c) dienstags
4. a) kosten b) kostet c) macht
5. a) jetzt b) sonst c) also
6. a) Milch b) Butter c) Joghurt
7. a) kosten b) macht c) ist
8. a) Glas b) Leergut c) Papier

8 Werbeanzeigen

a) Markieren Sie bitte die Sonderangebote.

1. Super günstig: Schachtel Merci-Pralinen 1,49€ ☒
2. Deutscher Schafskäse: 100g heute nur 1,19€ ☐
3. 200g Natur-Joghurt: wie immer nur 0,89€ ☐
4. Diese Woche im Angebot: Fallmayer-Kaffee 3,99€ ☐
5. 1 Liter H-Milch, 1,5% Fett, 0,59€ ☐
6. Nur heute und morgen: Putenschnitzel, 100g, –,69€ ☐

b) Lebensmittel Alak oder der Supermarkt. Ergänzen Sie bitte den Komparativ.

frisch	freundlich	~~billig~~	lang	teuer	viel

1. Der Supermarkt ist *billiger* als Lebensmittel Alak.
2. Lebensmittel Alak ist ________ als ein Supermarkt.
3. Das Gemüse bei Alak ist ________ als im Supermarkt.
4. Aber es gibt ________ Sonderangebote im Supermarkt als bei Alak.
5. Frau Alak ist viel ________ als die Verkäuferinnen im Supermarkt.
6. Der Supermarkt ist aber ________ geöffnet.

9 Freundlich oder unfreundlich? Markieren Sie bitte.

	freundlich	unfreundlich
1. Ich hätte gern 3 Flaschen Apfelsaft.	☒	☐
2. Geben Sie mir sofort 1 Kilo Tomaten.	☐	☐
3. 2 Pfund Kaffee, bitte.	☐	☐
4. Ich will eine Schachtel Pralinen.	☐	☐
5. Wir möchten bitte 10 Bratwürste.	☐	☐
6. 300g Appenzeller Käse geschnitten.	☐	☐

Meinungen über das Ruhrgebiet

Seite 126	Aufgabe 1

1 Lesen Sie die Umfrage auf Seite 126, Aufgabe 1. Was ist richtig?

1. Man kommt schnell in jede Stadt
   - A mit dem Fahrrad.
   - B mit dem Auto.
   - ☒ C mit der S-Bahn.

2. Im Ruhrgebiet gibt es
   - A Automobilindustrie.
   - B Stahlindustrie.
   - C keine Industrie.

3. Im Ruhrgebiet leben
   - A nur Deutsche.
   - B nur Portugiesen.
   - C Menschen aus vielen Ländern.

4. Federica Petrera will ausziehen,
   - A weil sie nicht genug Platz hat.
   - B weil die Wohnung zu teuer ist.
   - C weil ihr das Ruhrgebiet nicht gefällt.

2 Das Ruhrgebiet. Was passt?

~~Die Verkehrsverbindungen sind hier gut,~~	weil sie dann weniger Miete bezahlen.
Viele Industriegebäude sind Museen geworden,	weil die Stahlfabrik in Duisburg geschlossen hat.
Es gibt gute Freizeitmöglichkeiten,	weil dort Menschen aus vielen Ländern leben.
Das Ruhrgebiet ist ein internationaler Wohnort,	weil man viele kulturelle und sportliche Veranstaltungen besuchen kann.
Viele Menschen sind arbeitslos,	weil die Leute über 180 Jahre Industriegeschichte sehen wollen.
Viele Studenten wohnen in einer Wohngemeinschaft,	~~weil die Entfernungen zwischen den Städten nicht so groß sind.~~

1. *Die Verkehrsverbindungen sind hier gut, weil die Entfernungen zwischen den Städten nicht so groß sind.*
2. ______
3. ______
4. ______
5. ______
6. ______

Seite 127	Aufgabe 2–4

1 Warum? Bilden Sie *weil*-Sätze.

1. Stefanie Fritsch aus Herne fährt jeden Tag nach Gelsenkirchen. Sie macht dort eine Ausbildung.
   Stefanie Fritsch aus Herne fährt jeden Tag nach Gelsenkirchen, weil sie dort eine Ausbildung macht.
2. Viele Industriegebäude sind heute Museen. Man kann dort viel über Industriegeschichte lernen.
   ______
3. Es gibt viele Arbeitslose. Die Stahlindustrie im Ruhrgebiet hat große Probleme.
   ______
4. Das Ruhrgebiet ist sehr interessant. Menschen aus vielen Ländern leben dort.
   ______
5. Federica Petrera will nicht mehr in einer Wohngemeinschaft wohnen. Sie möchte eine große Wohnung.
   ______
6. Die Zeitung macht eine Umfrage. Sie möchte Informationen bekommen.
   ______

2 Verbinden Sie bitte die Sätze. Beginnen Sie jetzt mit dem *weil*-Satz.

1. Die Arbeit war zu anstrengend und gefährlich.
   Frauen duften früher nicht in der Zeche arbeiten.
   Weil die Arbeit zu anstrengend und gefährlich war, durften Frauen früher nicht in der Zeche arbeiten.
2. Otto Grabowski hatte viele Kollegen aus der Türkei.
   Er konnte früher ein bisschen Türkisch sprechen.
   ____
3. Unser Chef hat viel gearbeitet.
   Auch wir mussten viele Überstunden machen.
   ____
4. Wir mussten oft Nachtschicht machen.
   Ich war mit meiner Familie nur am Wochenende zusammen.
   ____
5. Jeden Tag mussten wir zwölf Stunden arbeiten.
   Die Arbeit im Bergwerk war sehr hart.
   ____

3 Schreiben Sie *weil*-Sätze.

1. arbeitet / Frau Alak / im / gern / Lebensmittelgeschäft / nette / weil / Kunden / , / hat / sie / .
   Frau Alak arbeitet gern im Lebensmittelgeschäft, weil sie nette Kunden hat.
   Weil sie nette Kunden hat, arbeitet Frau Alak gern im Lebensmittelgeschäft.
2. kommen / Viele / zu / Leute / , / Frau Alak / weil / Kontakt / sie / möchten / haben / .
   ____
   ____
3. gut / Frau Alak / , / verkauft / frische / sie / weil / kann / anbieten / Produkte / .
   ____
   ____
4. Rentner / Die / kaufen / Frau Alak / , / bei / es / viele / weil / Sonderangebote / gibt / .
   ____
   ____

4 Eine Umfrage. Wer sagt was? Bitte kombinieren Sie.

1. Die Telekom-Angestellte Federica Petrera meint,	dass die Arbeit im Bergwerk hart war.
2. Die Kauffrau Renate Pokanski findet,	dass die Ausbildung Spaß macht.
3. Der Mechaniker José Rodrigues sagt,	dass es nicht leicht ist, eine Arbeit zu finden.
4. Stefanie Fritsch, Auszubildende, denkt,	dass Industriegeschichte interessant ist.
5. Der arbeitslose Friedrich Bertsch glaubt,	dass sie viel Freizeit hat.
6. Der Rentner Otto Grabowski weiß,	dass seine ganze Familie in Portugal lebt.

(1 – dass sie viel Freizeit hat.)

5 Was denken die Leute?

a) Antworten Sie bitte mit einem *dass*-Satz.

1. Federica Petrera meint: „Eine 2-Zimmer-Wohnung ist einfach zu eng."
   Federica Petrera meint, dass eine 2-Zimmer-Wohnung einfach zu eng ist.
2. Otto Grabowski denkt: „Heute will niemand mehr körperlich arbeiten."
   ____
3. Kerstin Schmittke weiß: „15 Überstunden pro Woche sind anstrengend."
   ____

b) Vergleiche im Nebensatz.

1. Herr Rodrigues sagt: „Gelsenkirchen ist nicht ganz so schön wie Porto."
   Herr Rodrigues sagt, dass Gelsenkirchen nicht ganz so schön wie Porto ist.
2. Frau Alak glaubt: „Die Leute kaufen lieber in meinem Geschäft ein als im Supermarkt."
   ____
3. Tao Gui findet: „Bei uns müssen die Studenten mehr Prüfungen machen als in Deutschland."
   ____

6 Personalpronomen und *dass*-Sätze. Ergänzen Sie bitte.

Ich bin Zahntechniker.

Wir haben zwei Kinder.

Ich lebe schon lange in Deutschland.

Ich möchte heute mit euch ins Kino gehen.

Ich arbeite jeden Tag im Laden.

Du musst heute die Küche putzen!

1. Jochen Krause sagt, dass *er* Zahntechniker ist.
2. Frau Krause sagt, dass ________ zwei Kinder haben.
3. Frau Alak sagt, dass ________ jeden Tag im Laden arbeitet.
4. Herr Rodrigues sagt, dass ________ schon lange in Deutschland lebt.
5. Kerstin Schmittke sagt zu uns, dass sie heute mit ________ ins Kino gehen möchte.
6. Federica sagt zu mir, dass ________ heute die Küche putzen muss.

7 *weil* oder *dass*. Was passt?

1. Federica Petrera sucht eine Wohnung,
   ☒ weil ☐ dass ihre Wohnung zu eng ist.
2. José Rodrigues glaubt,
   ☐ weil ☐ dass es in Portugal nicht genug Arbeit gibt.
3. Stefanie Fritsch fährt jeden Tag nach Gelsenkirchen,
   ☐ weil ☐ dass sie dort eine Ausbildung macht.
4. Renate Pokanski findet,
   ☐ weil ☐ dass Museen über Industriegeschichte interessant sind.
5. Otto Grabowski meint,
   ☐ weil ☐ dass die Menschen früher mehr gearbeitet haben als heute.
6. Friedrich Bertsch ist unzufrieden,
   ☐ weil ☐ dass er keine Arbeit hat.

8 Tao Gui bei Lebensmittel Alak. Schreiben Sie die Sätze in die passende Tabelle.

1. Tao Gui geht einkaufen, weil er ein Abendessen macht.
2. Er sagt zu Frau Alak, dass er 10 Freunde eingeladen hat.
3. Weil er chinesisch kochen will, möchte er ein Paket Reis kaufen.
4. Frau Alak meint, dass ein Paket für 10 Personen zu wenig ist.
5. Weil Tao Gui viel eingekauft hat, nimmt er noch eine Plastiktüte.
6. Dass er auch noch Fleisch braucht, hat er ganz vergessen.

Hauptsatz				Nebensatz		
Position 1	**Verb**	**Satzmitte**	**Satzende/ Verb**	**Subjunktion**	**Satzmitte**	**Satzende/ Verb**
Tao Gui	*geht*		*einkaufen,*	*weil*	...	

Nebensatz			Hauptsatz		
Subjunktion	**Satzmitte**	**Satzende/ Verb**	**Verb**	**Satzmitte**	**Satzende/ Verb**
Weil	*er chinesisch*	*kochen will,*	*möchte*	...	

9 *dass* und *weil*. Die Mieter in der Kruppstraße 25 in Duisburg sind nicht zufrieden.

Wir müssen immer die Treppe putzen. Die Studenten rauchen im Treppenhaus!

1. Engin und Jasemin Gül, Arbeiter in einer Fabrik, eine kleine Tochter.

„Wir können nicht mehr schlafen. Das Baby von Familie Gül ist die ganze Nacht laut."

2. Herr und Frau Hoffmann, keine Kinder. Er arbeitet im Rathaus. Sie ist Chemielaborantin.

Die Arbeit hier macht keinen Spaß. Die Mieter machen nur Probleme.

3. Walter Kowalski, Hausmeister.

Unser Hausmeister ist sehr anstrengend. Er möchte immer alles wissen.

4. Wohngemeinschaft: Christine, Anna und Peter. Sie studieren Medizin.

Am Wochenende haben wir nie Ruhe. Die Studenten über uns feiern immer Partys!

5. Josef Koslowski (Busfahrer) und Andrea Koslowski (Hausfrau), zwei Söhne, Peter und Götz.

Es ist sehr laut im Haus. Die Kinder von Koslowskis spielen in der Wohnung Fußball.

6. Zwei alte Damen, Schwestern, Herta und Erika Plaschke.

1. Engin und Jasemin Gül sagen, dass sie immer die Treppe putzen müssen, weil die Studenten im Treppenhaus rauchen.

Wohnungssuche im Ruhrgebiet

Seite 128	Aufgabe 1–2

1 Welche Wohnung passt zu wem? Ordnen Sie bitte zu.

1
4-Zi.-Whg., EG,
Nähe Spielplatz/Stadtpark, 90 m², KM € 520,– + NK, Keller, gr. Garten, ab sofort.
Tel.: 0 23 23/4 61 65 66

3
3-Zi.-Whg., Altbau,
Nähe Uni, 78 m², KM, € 410,– +NK, 4. OG, keine Kt., Balkon, Keller, ab 1. 4. zu vermieten.
Tel.: 02323/461573

2
Großes Landhaus,
8 Zi, 220 m², gr. Garten, Schwimmbad, Terrasse, 3 Stellplätze, ab August.
Schaffranka-Immobilien, Tel. 02 01/87 46 02-0

4
Neubau, mod. 1-Zi.-Whg.,
Zentrum, 38 m², Bad, Küchenzeile, Gasheizung, WM € 450,– + Kt., Keller, Tiefgarage, ab sofort, **Tel. 02326/73561**

- **A** Frau, sehr reich, mit Köchin und Fahrer [2]
- **B** Mann, ledig, viel Arbeit, selten zu Hause [ ]
- **C** Familie mit 2 Kindern [ ]
- **D** Wohngemeinschaft, 3 Studenten [ ]

2 Federica Petrera besichtigt eine Wohnung. Ordnen Sie bitte den Dialog.

- [ ] ▶ Ja, das Wohnzimmer ist sehr hell. Sagen Sie Frau Petrera, Sie haben doch keine Kinder, oder?
- [ ] ◁ Nein, ich habe auch keine Haustiere. Ich habe keinen Mann und ich rauche nicht. Sonst noch Fragen?
- [1] ▶ Guten Tag, Frau Petrera. Wollen Sie gleich mal die Wohnung anschauen?
- [ ] ▶ Also, so etwas. So eine Mieterin will ich nicht haben. Gehen Sie bitte, aber schnell!
- [ ] ▶ Keine Kinder, gut. Haben Sie Haustiere?
- [ ] ◁ Ja, gern. … Wie groß ist die Wohnung? 68 m²? Hm, die Küche ist sehr schön. Und das Wohnzimmer ist …
- [ ] ◁ Nein, Kinder habe ich keine. Der Balkon ist auch toll.

3 Jetzt besichtigen Sie eine Wohnung. Was sagen oder fragen Sie? Was sagt oder fragt der Vermieter? Kreuzen Sie bitte an.

	Sie	der Vermieter
1. Wie hoch sind denn die Nebenkosten?	X	
2. Hat die Wohnung auch einen Balkon?		
3. Haustiere sind hier nicht willkommen.		
4. Rauchen Sie?		
5. Ist das Haus sehr ruhig?		
6. Was sind Sie von Beruf?		
7. Spielen Sie Klavier?		
8. Wohnen Sie auch hier im Haus?		
9. Sie müssen 1000 € Kaution bezahlen.		
10. Wie groß ist das Wohnzimmer?		

Lösungen

Lektion 1

S. 4–7 Guten Tag

1 2. Tschüs! 3. Guten Abend! 4. Auf Wiedersehen! 5. Guten Morgen!
2 2A • 3F • 4C • 5D • 6E
3 2A • 3C • 4A
4 2. Ich komme aus Deutschland. 3. Nein, ich wohne in Frankfurt. 4. Christian Hansen. 5. Nein, aus Deutschland.
5 2. Kommst du aus Deutschland? 3. Wie heißen Sie bitte? 4. Woher kommen Sie? 5. Wohnen Sie in Wien?
6 1. und, heiße, wo, wohne 2. Sind, Name, Kommen, aus
7 2. Wie 3. Woher 4. Wie 5. Wo 6. Woher
8 **a) Sie:** Wie heißen Sie? / Wo wohnen Sie? / Sind Sie Herr Bauer? • **du:** Woher kommst du? / Bist du Christian? / Wie heißt du? / Wohnst du in Berlin?
b) 2. Sie 3. Sie 4. du
9 1. Ich, Sie, ich, Sie, Ich 2. du, Ich, Ich, du, du
10 2. heiße 3. wohnen 4. heißen 5. Bist 6. komme
11 **a)** Wie heißen Sie? • Wo wohnen Sie? • Sind Sie Maria Schmidt?
b) Wie heißt du? • Wo wohnst du? • Bist du Maria?
12 (Ich heiße) … Woher kommst du? • (Ich komme) Aus … • (Ich wohne) In … Und (wo wohnst) du?

S. 8/9 Die Welt

1 2. Frankfurt 3. woher 4. Weltkarte
2 Schweiz • Österreich • Deutschland • Deutschland • Österreich • Schweiz • Europa • Europa • Asien • Afrika • Amerika • Australien
3 Russland • Kenia • Japan • Norwegen • Belgien • Indien • Polen • Spanien • Frankreich
4 **a)** 1C • 2B • 3A • 4C • 5A • 6C
b) -ien: Argentinien, Belgien, Großbritannien, Indien, Spanien, Tunesien • **-land:** Deutschland, Russland • **-reich:** Frankreich, Österreich
5 2. Hier ist Asien. 3. China, Indien und Japan liegen in Asien. 4. Sprechen die Menschen hier Deutsch?
6 2. Nein, in Europa. 3. Nein, in Afrika. 4. Nein, in Asien. 5. Nein, in Amerika.

S. 9

1 2. Bier 3. Schokolade 4. Autos 5. Zucker 6. Bananen 7. Zitronen 8. Computer 9. Tee • *Lösungswort:* Weltkarte
2 **wo:** in, ist, wohnen, liegt • **woher:** kommen, aus

S. 10/11 Mitten in Europa

1 2. Woher 3. fährt 4. liegt
2 2. Wohin? 3. Wo? 4. Wo? 5. Wohin?
3 2. Aus 3. Nach 4. Aus 5. In
4 2AE • 3BD
5 2. Woher kommt er? 3. Wohin fährt er (vielleicht)? 4. Wo liegt Deutschland? 5. Wohin fahren viele Menschen?

S. 11/12 Ein Zug in Deutschland

1 schlafen • wohnen • verstehen • reisen • lernen • spielen • fahren

2 2. Karten spielen 3. Urlaub machen 4. Deutsch lernen 5. aus Australien kommen 6. in Deutschland arbeiten

3 *Mögliche Lösungen:* Anna kommt aus Polen. • Martin Miller arbeitet in Deutschland. • Martin Miller reist sehr viel. • Lisa und Tobias spielen Karten. • Lisa und Tobias fahren nach Italien.

4 Anna und Thomas wohnen in Bremen. / fahren nach Süddeutschland. • Frau Schmidt kommt aus Dortmund. / schläft. / fährt nach Italien. / macht Urlaub.

5 2. Sie 3. Er 4. Sie 5. Sie

S. 12/13

1 **a)** 2. spielen 3. fährt 4. wohnen 5. ist 6. kommt
b) 2. wohnen 3. fährt 4. kommt 5. wohnt 6. fahren

2 2. Wer wohnt in Berlin? 3. Wer arbeitet in Deutschland? 4. Wer schläft? 5. Wer fährt nach Köln? 6. Wer macht Urlaub?

3 2. schläft, schläft 3. fährt, fahren 4. wohnt, wohnen 5. reist, reisen 6. lernt, lernt

4 2. fährt, macht, schläft 3. fahren, schlafen, spielen 4. arbeitet, reist, fährt 5. wohnt, fährt

5 **a)** 2. Nein, sie schlafen nicht. 3. Nein, er kommt nicht aus Belgien. 4. Nein, sie wohnt nicht in Brüssel. 5. Nein, sie kommen nicht aus Italien. 6. Nein, sie fährt nicht nach Bremen.
b) 2. Nein, ich komme nicht aus Österreich. 3. Nein, ich wohne nicht in Leipzig. 4. Nein, ich arbeite nicht in Leipzig. 5. Nein, ich fahre nicht nach China.

S. 14/15

1 4 • 2 • 6 • 3 • 5 • 1: Wohin fahrt ihr? – Wir fahren nach München. Und wohin fährst du? – Ich fahre nach Köln. Kommt ihr aus München? – Nein, wir kommen aus Bremen. – Ah ja. Was macht ihr in München? – Wir machen Urlaub.

2 2. sind 3. Macht 4. kommt 5. lerne 6. Verstehst

3 er arbeitet • Lisa und Tobias machen • wir wohnen • du kommst • Anna lernt • Anna und Thomas reisen • du bist • ihr schlaft • ich verstehe • *Lösungswort:* Frankreich

4 2. Wie bitte? Wie heißt du? 3. Wie bitte? Woher kommst du / kommen Sie? 4. Wie bitte? Wo wohnt ihr / wohnen Sie? 5. Wie bitte? Wohin fahrt ihr / fahren Sie?

5 2. Nein, ich komme aus Bremen. 3. Wir fahren nach Österreich. 4. Wir kommen aus Italien. 5. Wir kommen / Ich komme aus Leipzig. 6. Wir machen Urlaub.

6 2. du 3. ihr 4. Sie 5. sie 6. ihr 7. Ich

7 ich komme • wir/sie/Sie machen • du fährst • ihr schlaft • er/sie/ihr arbeitet • du/er/sie/ihr reist

8 **a)** in Moskau arbeiten • sehr viel reisen • Deutsch lernen • nach Japan fahren
b) *Mögliche Lösungen:* Er arbeitet in Moskau. Reist ihr sehr viel? Ich lerne Deutsch. Fahren Sie nach Japan?

S. 16 Auf Wiedersehen

1 2. 30 3. 98 4. 47 5. 16 6. 51 7. 77 8. 63

2 2. 12, 14, 16 3. 29, 30, 31 4. 70, 80, 90 5. 11, 22, 33

3 2. 31 08 25 1 3. 36 10 06 29 4. 089/7 35 17 33 5. 0 81 52/83 84

S. 16/17

1 2. Meine Adresse ist Sandhofstraße 12. 3. Wie ist deine Telefonnummer? 4. Hier das ist meine Karte. 5. Dann noch gute Reise!

2 Wie ist Ihre Adresse? • Wo wohnen Sie? • Wie ist Ihre Telefonnummer?

3 2G • 3I • 4C • 5A • 6E • 7B • 8F • 9H

4 Weber: Nachname • Dillgasse 5, 60439 Frankfurt: Adresse • Tel.: 069/2 67 21 33: Telefonnummer • Fax: 069/2 67 21 34: Faxnummer

S. 18 **Im Deutschkurs**

1 nummerieren • fragen • markieren • antworten • buchstabieren • ergänzen • kombinieren
2 (Bitte) Sprechen Sie (bitte). • (Bitte) Lesen Sie (bitte). • (Bitte) Schreiben Sie (bitte).
3 2. (Bitte) Buchstabieren Sie (bitte). 3. (Bitte) Ergänzen Sie (bitte). 4. (Bitte) Fragen Sie (bitte). 5. (Bitte) Antworten Sie (bitte). 6. (Bitte) Markieren Sie (bitte). 7. (Bitte) Kombinieren Sie (bitte).

S. 19 **Grammatik**

1 2. Frau Mohr reist sehr viel. 3. Deutschland liegt mitten in Europa. 4. Lisa und Tobias spielen Karten. 5. Martin Miller fährt nach Berlin.
2 **a)** 2. Wie heißen Sie? 3. Was machst du hier? 4. Wer macht Urlaub?
b) 2. Wohnen Sie in Berlin? 3. Fährt Frau Mohr nach Brüssel? 4. Seid ihr aus Spanien?
3 2. Kommen Sie aus Frankfurt? 3. Verstehen Sie ein bisschen Deutsch? 4. Ich fahre nach Berlin. 5. Wohin fahren Sie? 6. Wir machen Urlaub in Polen / in Polen Urlaub.
4 2. Nummerieren Sie. 3. Ordnen Sie. 4. Buchstabieren Sie. 5. Antworten Sie.

Lektion 2

S. 20 **Bilder aus Deutschland**

1 2. r 3. r 4. f 5. f 6. r 7. f
2 2. **Bahnhof:** Eurocity, Zug 3. **Autobahn:** Lastwagen, Auto 4. **Gebäude:** Kirche, Rathaus
3 2. Zitrone 3. Adresse 4. Mensch 5. Frage 6. Gebäude 7. Restaurant 8. Berg
4 1. Das ist eine Stadt in Deutschland. Die Stadt heißt Frankfurt. 2. Das ist der Hauptbahnhof in Köln. Viele Züge fahren nach Köln. 3. Das ist ein Platz in Frankfurt. Das Gebäude rechts ist das Rathaus.

S. 21/22

1 **ein/der:** Hafen, Platz, Lastwagen • **eine/die:** Stadt, Region • **ein/das:** Restaurant, Gebäude, Rathaus
2 2. eine 3. ein 4. eine 5. ein 6. ein 7. ein 8. ein
3 1. Das, das 2. Das, Die 3. Die, der 4. Die
4 2. Sie heißt 3. Er ist 4. Er macht 5. Sie liegen

S. 22/23

1 2. ein • Der 3. ein, Das 4. eine, Die 5. ein, Das
2 2. Das ist ein Bus. Der Bus ist voll. 3. Das ist eine Kirche. Die Kirche ist alt. 4. Das ist ein Restaurant. Das Restaurant ist gut. 5. Das ist ein Zug. Der Zug ist lang.
3 **a)** 2. Autos 3. Lastwagen 4. Städte 5. Häuser 6. Dörfer
b) 2. Berg 3. Zug 4. Straße 5. Autobahn 6. Restaurant
4 **Singular:** Zug, Auto, Stadt • **Plural:** Dörfer, Kirchen, Plätze
5 2. Plural 3. Singular 4. Singular 5. Plural 6. Plural 7. Singular 8. Singular
6 **-e:** Berge, Plätze, Städte, Bahnhöfe • **-(e)n:** Autobahnen, Regionen, Kirchen, Straßen • **-er:** Dörfer • **–:** Lastwagen • **-s:** Restaurants
7 2. Das sind Züge. Die Züge fahren nach Italien. 3. Das sind Berge. Die Berge liegen in Österreich. 4. Das sind Schiffe. Die Schiffe kommen aus Spanien. 5. Das sind Fabriken. Die Fabriken liegen im Ruhrgebiet. 6. Das sind Kirchen. Die Kirchen sind in Köln.

S. 24–26 Eine Stadt, ein Dorf

1 2. Die Frauen essen Schokoladentorte. 3. Anna Brandner trinkt Kaffee. 4. Die Kinder spielen Fußball. 5. Ein Mann wartet schon 20 Minuten. 6. Der Bus kommt nicht.

2 2G • 3H • 4C • 5F • 6B • 7A • 8E

3 2. Tomaten, Zitroneneis 3. Zug, Bus 4. Fußball, Karten 5. Journalist, Fotografin

4 2. trinkt 3. spielen 4. warten 5. fahren 6. ist

5 2. Café 3. jeden Tag 4. trinkt 5. 10 Minuten 6. Bus 7. spielen 8. nicht viele

6 2. eine, Die, Sie 3. –, Die, Sie 4. ein, Der, Er 5. ein, Das, Es 6. ein, Der, er

7 2. Wie bitte, wie heißt sie? 3. Wie bitte, woher kommt sie? 4. Wie bitte, wo liegt Mailand? 5. Wie bitte, wohin fährt sie? 6. Wie bitte, was ist in Köln?

8 *Mögliche Lösungen:* Eine Frau wartet. Sie wartet schon 20 Minuten. Der Zug kommt nicht. • Das Café ist im Zentrum. Der Mann trinkt Kaffee, die Frau trinkt Tee. Sie essen Torte. • Sie spielen jeden Tag hier. Die Straße ist der Fußballplatz. Hier fahren nicht viele Autos.

S. 26–28

1 2. lang 3. kurz 4. klein 5. lang 6. gut

2 Der Tee ist kalt, aber das Bier ist nicht kalt. Das Eis ist klein, der Kaffee ist auch nicht gut und die Torte ist alt. Wir kommen nicht noch einmal. Auf Wiedersehen!

3 2. Nein, der Mann ist nicht groß! Er ist klein. 3. Nein, das Bier ist nicht schlecht! Es ist gut. 4. Nein, der Bus ist nicht schnell! Er ist langsam. 5. Nein, der Zug ist nicht lang! Er ist kurz. 6. Nein, die Kirche ist nicht links! Sie ist rechts.

4 2. Das Bananeneis ist klein und schlecht. 3. Das Hotel ist groß und schlecht. 4. Der Lastwagen ist groß und langsam. 5. Das Geschäft ist groß und gut. 6. Der Computer ist klein, gut und schnell.

S. 28

1 2. der Eiskaffee 3. die Schokoladentorte 4. der Schnellzug 5. die Großstadt

2 3/4: das Bananeneis • 5/6: der Zitronentee • 7/8: das Bergdorf • 9/10: die Hafenstadt • 11/12: die Weltkarte

S. 29 Die Stadt Frankfurt

1 Auto und kein Bus. • Menschen. • gehen zu Fuß. • viele Theater, Hotels, Restaurants und Kinos. • ist ganz nah. • Kino, kein Kaufhaus und kein Museum. • arbeiten nicht hier, sie arbeiten im Zentrum.

S. 29–31

1 **Menschen,** die Fotografin, Frauen, Männer, der Journalist • **das Wohnhaus,** Banken, Geschäfte, die Schule, der Supermarkt • **das Auto,** Züge, der Bus, das Schiff, der Lastwagen

2 2C • 3F • 4B • 5A • 6E

3 keine Geschäfte • keine Bank • kein Museum • keine Post • keine Hotels • keine Schule • kein Restaurant • kein Kaufhaus

4 2. Das ist kein Auto. Das ist ein Haus. 3. Das ist kein Fotoapparat. Das ist ein Computer. 4. Das ist keine Kirche. Das ist ein Auto. 5. Das sind keine Zitronen. Das sind Fotoapparate. 6. Das ist kein Computer. Das ist eine Fabrik. 7. Das ist kein Haus. Das ist eine Kirche. 8. Das sind keine Bananen. Das sind Zitronen.

5 **a)** 2. Nein, hier sind keine Hotels. 3. Nein, das ist kein Museum. 4. Nein, hier ist keine Bank. 5. Nein, das sind keine Wohnhäuser. 6. Nein, Frankfurt ist keine Kleinstadt.

b) 2. Nein, ich schlafe nicht. / Nein, wir schlafen nicht. 3. Nein, der Zug fährt nicht nach Bonn. 4. Nein, der Urlaub ist nicht lang. 5. Nein, ich wohne nicht in Österreich. 6. Nein, Rostock liegt nicht in Süddeutschland.

c) 1. Nein, ich warte nicht. 2. Nein, der Bus kommt nicht. 3. Nein, hier ist kein Geschäft. 4. Nein, wir arbeiten nicht. 5. Nein, das Auto ist nicht schnell. 6. Nein, das ist keine Schule.

6 4. kein Kaufhaus 5. nicht voll 6. keine Bank 7. nicht wohnen 8. nicht fahren 9. keine Wohnhäuser 10. nicht nah

S. 32 **In Köln**

1 2. Na, wie geht's? 3. Nervös? Warum? 4. Kein Problem! Ich habe ein Auto. 5. Kommen Sie, mein Auto ist hier.

2 2B • 3A • 4B

S. 32/33

2 2. 270 3. 3513 4. 960000 5. 1895 6. 21566 7. 833 8. 483

3 2F • 3E • 4C • 5B • 6A

4 411 • 2318 • 2381 • 53800 • 370412

5 2. zwölftausenddreißig, zwölftausendeinhundertelf 3. hundertachtzehn, hunderteinundachtzig 4. dreihundertsiebenundsechzig, dreihundertsechsundsiebzig 5. vierzigtausendacht, vierhunderttausendacht

S. 34

1 2. Wie viele, Hier wohnen 8140000 Menschen. 3. Wie hoch, Die Kirche ist 161 Meter hoch. 4. Wie viele, Hier wohnen 114 Menschen. 5. Wie hoch, Er ist 3 Meter hoch. 6. Wie alt, Es ist (ungefähr) 50 Jahre alt.

2 3. Wer 4. Was 5. Wer 6. Was 7. Was 8. Wer

S. 35 **Im Deutschkurs**

1 1. Buch 2. Wörter, Grammatik 3. Blatt Papier, Heft, Kugelschreiber, Bleistift

2 2. er 3. ist 4. ein 5. in 6. Eis 7. Wort 8. Buch, Bier

S. 35 **Grammatik**

1 **Nomen:** der Radiergummi, das Bild, die Schule, das Papier • **Adjektive:** schlecht, nah, falsch, richtig • **Verben:** wiederholen, glauben, gehen, wissen

2 1. weiß 2. warte 3. Weißt 4. warten 5. Wisst, wissen 6. weiß

Lektion 3

S. 36 **Meine Familie und ich**

1 fantastisch • mitmachen • Vorname • Jahre • Beruf • Hausfrau

2 1 • 10 • 5 • 3 • 7 • 4 • 2 • 8 • 6 • 9

3 2. Wie alt sind Sie? 3. Was sind Sie von Beruf? 4. Woher kommen Sie? 5. Wo wohnen Sie?

S. 37/38

1 2C • 3A • 4B

2 Du • hat • hat • hat • wir • haben

3 *Mögliche Lösungen:* Ich habe eine Frage. • Wir haben ein Haus in Österreich. • Herr und Frau Berger haben drei Kinder. • Maria hat kein Foto.

4 1. ist 2. sind, haben, sind 3. Bin, Ist 4. bist 5. Haben 6. ist, sind

5 heißt • Haben • heißen • habe • Hast • habe • ist • sind • seid • ist • bin • ist

S. 38/39

1 2. Was sind Sie von Beruf? / Was bist du von Beruf? 3. Haben Sie Kinder? / Hast du Kinder? 4. Wie alt sind Ihre Kinder? / Wie alt sind deine Kinder 5. Wo wohnen Sie? / Wo wohnst du? 6. Wie ist Ihre Telefonnummer? / Wie ist deine Telefonnummer?

2 deine • meine • deine • meine • deine • Mein • dein • meine • deine • mein • Dein • mein • Dein

3 1. meine, meine, Mein, meine 2. Ihr, Ihre, Ihre, Ihr, Ihre 3. dein, dein, deine, dein (deine: Pl.), dein, deine 4. Ihre, deine, Ihr, Ihre, dein

4 dein • Ihr • Mein • deine • Meine • Ihre

S. 40–42 Die Hobbys von Frau Mainka

1 Karten spielen • lesen • Tennis spielen • Musik hören • singen

2 Urlaub machen • Musik hören • Grammatik lernen • ins Kino gehen • Zug fahren • Torte essen

3 2. Ich lese gern. / Ich lese nicht gern. 3. Ich jogge gern. / Ich jogge nicht gern. 4. Ich esse gern Eis. / Ich esse nicht gern Eis. 5. Ich höre gern Musik. / Ich höre nicht gern Musik.

4 Sebastian singt nicht gern. • Philipp reist nicht gern. • Ich lerne gern / nicht gern Deutsch. • Lisa spielt gern Gitarre. • Thomas joggt nicht gern. • Ich mache gern / nicht gern Sport. • Frau Mainka hört gern Musik.

5 **a)** oft • manchmal • selten • nie

b) *Mögliche Lösungen:* Ich fahre manchmal Bus. • Ich fahre nie Auto. • Ich lerne oft Wörter. • Ich lerne immer Grammatik. • Ich esse selten Eis. • Ich esse nie Torte. • Ich esse immer Schokolade.

6 **b)** 2. f 3. f 4. r 5. r

S. 42 Das Formular

1 2. Hobby 3. Adresse 4. Familienname 5. Beruf 6. Alter 7. Vorname 8. Ort

S. 44 Montag, 9 Uhr, Studio 21

1 2. Es ist dreiundzwanzig Uhr. 3. Es ist vierzehn Uhr fünfundreißig. 4. Es ist siebzehn Uhr vierzig. 5. Es ist acht Uhr einundfünfzig. 6. Es ist ein Uhr dreiundzwanzig. 7. Es ist zwanzig Uhr acht. 8. Es ist sechs Uhr zehn.

2 2. Um neun Uhr fünfundvierzig kommt Frau Schnell. 3. Um zehn Uhr fängt das Casting an. 4. Um 12 Uhr ist Pause. 5. Um dreizehn Uhr fünfundfünfzig sind Herr und Frau Franke dran.

S. 44–47

1 2. stattfinden 3. mitspielen 4. anfangen 5. mitmachen 6. da sein

2 2. mit 3. dran 4. aus 5. mit 6. statt

3 **a)** **Trennbare Verben:** mitmachen, anfangen, stattfinden • **Nicht trennbare Verben:** singen, fragen, warten, arbeiten

b) machen mit • fängt an • warten • füllen aus • arbeitet • fragt • Singen

4 Ich bin dran. • Sie sind noch nicht dran. • Natürlich bin ich dran. • Entschuldigung, ich glaube, die Frau hier links ist dran. • Wir sind dran. • Sie ist jetzt dran.

5 Wer fängt zuerst an? • Fangen Sie an? • Nein, ich fange nicht an. • Du fängst an. • Ach nein, warum fangt ihr nicht an? • Nein, Frau Baumann fängt an.

6

	Verb	**Satzmitte**	**Satzende**
Wer	macht	heute	mit?
	Füllen	Sie bitte das Formular	aus.
	Findet	das Spiel heute	statt?
Wir	fangen	am Montag um acht Uhr	an.
Tobias	spielt	auch	mit.

7 2. Die Leute nehmen Platz. 3. Um 19.20 Uhr sind alle Leute da. 4. Um 19.30 Uhr fangen sie an. 5. Die Leute lesen Texte. 6. Herr Sandos ist dran. 7. Er ist nervös. 8. Alle machen gern mit.

8 möchte • möchte • möchte • möchte • Möchten

9 *Mögliche Lösungen:* Sebastian möchte nicht ins Kino gehen. • Ich möchte gern Deutsch lernen. • Anna und Tom möchten gern Tennis spielen. • Ihr möchtet nicht mitspielen. • Wir möchten gern reisen.

S. 47/48

1 Ihre, Ihr, Ihre • Seine, Sein, Sein

2 *Mögliche Lösungen:* Das ist mein Mann und sein Auto. • Das ist meine Mutter und ihre Katze. • Das ist Stefan und sein Computer.

3 ihr, ihr, ihre, • Ihre, Ihr, Ihr, Ihre

S. 48/49

1 2. f 3. f 4. r 5. r

2 a) **maskulin:** der Onkel, der Mann, der Vater • **feminin:** die Tante, die Großmutter • **Plural:** die Großeltern, die Kinder, die Geschwister

b) 2. Geschwister 3. der Großvater 4. der Sohn 5. die Großeltern 6. die Ehefrau

S. 49/50

1 **Musik:** das Klavier, das Lied, hören, die Flöte • **Familie:** die Geschwister, die Tante, verheiratet, der Onkel, die Großeltern

2 eure • Unsere • euer • eure • Unser • unsere • euer • Unser • eure • Unsere • euer

3 a) 2. sein 3. ihr 4. seine 5. ihr 6. sein

b) 2. unsere 3. euer 4. dein 5. eure 6. unsere

S. 51 Im Deutschkurs

1 ausfüllen • mitbringen • vorlesen • nachsprechen • mitkommen

2 2. Ich komme nicht mit. / Ich möchte nicht mitkommen. 3. Ich singe nicht mit. / Ich möchte nicht mitsingen. 4. Ich lese nicht vor. / Ich möchte nicht vorlesen. 5. Ich spiele nicht mit. / Ich möchte nicht mitspielen.

3 a) Freitag, Samstag, Donnerstag, Sonntag, Dienstag, Mittwoch, Montag

b) *Tarzan* kommt am Donnerstag um 20.30 Uhr und am Sonntag um 22.45 Uhr. • *James Bond 007* kommt am Dienstag und am Mittwoch um 20.00 Uhr und am Samstag um 21.45 Uhr. • *Drei Männer und ein Baby* kommt am Donnerstag um 18.15 Uhr. • *Titanic* kommt am Freitag um 20.15 Uhr und am Sonntag um 19.00 Uhr. • *Bambi* kommt am Montag um 14.30 Uhr und um 16.15 Uhr.

Lektion 4

S. 52 Der Münsterplatz in Freiburg

1 2. die Kellnerin 3. der Kaffee 4. das Eis 5. das Buch 6. der Tee

2 2. bringt 3. liest 4. fotografiert 5. isst 6. verkauft

S. 53–56 Foto-Objekte

1 2. r 3. r 4. f 5 f 6. r

2 *Mögliche Lösungen:* die Kellnerin beobachten • Bücher lesen, kaufen, verkaufen • das Auto beobachten, verkaufen, kaufen • einen Kaffee trinken, verkaufen, kaufen • die Marktfrau beobachten • Obst und Gemüse essen, verkaufen, kaufen • einen Brief lesen

3 a) 2. Freiburg 3. Timo 4. Er 5. das Kind 6. Timo

b) 2. einen Souvenirladen 3. einen Stadtplan, Souvenirs 4. den Münsterturm, das Café 5. einen Kaffee 6. den Kaffee

4 a) 2. ein 3. – 4. eine 5. einen

b) 2. den 3. die 4. die 5. den

5 einen • einen • eine • einen • einen • eine • ein • –

6 a) *Mögliche Lösungen:* Frau Daume – Stadtplan • Timo – Eis • Marlene Steinmann – Fotoapparat • die Touristen – Souvenirs • der Student – Computer

b) *Mögliche Lösungen:* 2. Frau Daume kauft einen Stadtplan. 3. Timo kauft ein Eis. 4. Marlene Steinmann kauft einen Fotoapparat. 5. Die Touristen kaufen Souvenirs. 6. Der Student kauft einen Computer.

7 a) 2. einen Fahrer / – Fahrer 3. eine Fotografin 4. zwei Lastwagen-Fahrer 5. einen Ehemann

b) 1. Anzeige Nr. 5 • 2. Anzeige Nr. 2 • 3. Anzeige Nr. 3 • 4. Anzeige Nr. 1 • 5. Anzeige Nr. 4

8 2. Der Mann trinkt einen Kaffee und liest ein Buch. 3. Herr und Frau Daume beobachten Timo. 4. Die Kellnerin bringt ein Eis. 5. Die Marktfrau isst ein Sandwich. 6. Marlene Steinmann kauft Obst und Gemüse.

9 2. Die Kellnerin bringt den Kaffee. 3. Die Marktfrau hat einen Marktstand. 4. Die Studentin kauft einen Computer. 5. Frau Daume beobachtet den Münsterplatz. 6. Timo hat einen Fotoapparat.

10 *Mögliche Lösungen:* In Rostock fotografiert Marlene Steinmann die Schiffe und den Hafen. In Frankfurt fotografiert sie das Rathaus, den Platz, Restaurants, Cafés und Menschen. In Süddeutschland fotografiert sie die Berge, eine Kirche und ein Dorf.

S. 56/57

1 2. Obst, Eis 3. Ein Buch, ein Buch 4. eine Zeitung, einen Stadtplan 5. den Münsterplatz, Die Menschen 6. einen Kaffee, Ein Bier

2 **Subjekte:** 2. er 3. Frau Daume 4. sie 5. sie 6. Sie 7. ich 8. ich
Akkusativ-Objekte: 2. Obst 3. ein Auto 4. den Münsterplatz 5. Straßen und Plätze 6. einen Kaffee 7. einen Tee 8. ein Sandwich

3 *Mögliche Lösungen:* den Mann sehen, beobachten, fotografieren, suchen • einen Brief schreiben, suchen • das Alphabet lernen, schreiben • ein Wort lernen, buchstabieren • das Kind sehen, beobachten, fotografieren, suchen • Katzen sehen, beobachten, fotografieren, suchen • den Namen schreiben, buchstabieren, lernen

4 **Wen:** beobachten, fotografieren, suchen • **Was:** beobachten, fotografieren, suchen, buchstabieren, schreiben

5 2. Wen? 3. Wer? 4. Wen? 5. Was? 6. Was? 7. Wer? 8. Was?

S. 58/59 Eine Freiburgerin

1 2. Sie braucht einen Fotoapparat. 3. Sie brauchen einen Computer. 4. Er braucht einen Kugelschreiber. 5. Er braucht ein Klavier. 6. Er braucht ein Deutschbuch.

2 2. keinen 3. keinen 4. kein 5. keine 6. kein

3 keinen Mann • keine Kinder • keine Wohnung • keinen Urlaub • keinen Beruf • keinen Mann • keine Kinder • keine Wohnung • keinen Urlaub • keine Probleme

4 ... kein Haus und keine Zeit. Timo hat ein Fahrrad und Zeit. Er hat kein Telefon, keinen Fernseher, kein Auto und kein Haus. • Herr und Frau Daume haben ein Telefon, einen Fernseher, ein Auto, ein Fahrrad und ein Haus. Sie haben keine Zeit. • Die Marktfrau hat ein Telefon, einen Fernseher, ein Fahrrad und Zeit. Sie hat kein Auto und kein Haus.

5 **a)** In Schöndorf gibt es eine Kirche, eine Schule, ein Rathaus, einen Sportplatz, einen Marktplatz und ein Geschäft. • In Schönstadt gibt es zwei Kirchen, drei Schulen, ein Rathaus, ein Kaufhaus, eine Fabrik, einen Bahnhof, Restaurants, einen Supermarkt und zwei Sportplätze.
b) In Schöndorf gibt es kein Kaufhaus, keine Fabrik, keinen Bahnhof, keine Restaurants und keinen Supermarkt.

S. 59–61 Das Münster-Café

1 2. der Apfelsaft 3. der Kaffee, die Milch, der Zucker 4. die Wurst 5. der Käse 6. das Sandwich 7. das Mineralwasser

2 2. essen 3. lesen 4. kaufen 5. arbeiten

3 3. Frau Schröder: Haben Sie Obstkuchen? 4. Kellnerin: Ja, wir haben heute Apfelkuchen und Schokoladenkuchen. 5. Frau Schröder: Dann hätte ich gern einen Apfelkuchen. 6. Kellnerin: Und was möchten Sie trinken? 7. Frau Schröder: Einen Tee bitte.

4 2. **Kaffee:** eine Tasse 3. **Kuchen:** ein Stück, zwei Stück 4. **Torte:** ein Stück, zwei Stück 5. **Mineralwasser:** ein Glas, eine Flasche

5 1. ein Stück, 2. ein Stück, eine Tasse, 3. eine Tasse, ein Glas (eine Tasse) 4. zwei Stück, eine Flasche

6 2. nehme 3. nimmst 4. nehme 5. Nehmen 6. nehmen 7. nimmt

7 ich sehe • du/er/sie/es liest • ihr sprecht • du/er/sie/es isst • du siehst • er/sie/es spricht

8 ich sehe, du siehst, wir sehen, sie/Sie sehen • ich lese, er/sie/es liest, wir lesen, ihr lest • du sprichst, wir sprechen, sie/Sie sprechen

9 1. spreche 2. esse, isst 3. lese, liest 4. nimmt, nehme 5. sehe, sieht

S. 62

1 sofort • Zusammen • Das macht • machen Sie • zurück
2 dreiundzwanzig Euro fünfundachtzig • neunzehn Euro neunundneunzig • achtzehn Euro dreißig • acht Euro fünfundsechzig
3 **bestellen:** Ich nehme einen Kaffee. Ich möchte ein Stück Obstkuchen. Was nehmen Sie? • **bezahlen:** Das macht 15 €. Das stimmt so. Zusammen oder getrennt? Was macht das?

S. 63/64

Am Samstag arbeiten?

1 *Mögliche Lösungen:* 1. Er muss reisen, Interviews machen und schreiben. 2. Sie muss reisen und fotografieren. 3. Sie muss in die Schule gehen, lernen, lesen und schreiben.
2 2. Dann musst du arbeiten! 3. Dann musst du Urlaub machen! 4. Dann musst du mehr schlafen! 5. Dann musst du bezahlen! 6. Dann musst du ein Taxi nehmen!
3 2. Musst 3. muss 4. müssen 5. müsst 6. müssen
4 **Schreibwarenladen:** Milch • **Bäckerei:** Gemüse • **Marktstand:** Zeitung
5 **Das können Sie essen oder trinken:** ein Glas Apfelsaft, ein Stück Kuchen, ein Sandwich, eine Tasse Kaffee, eine Flasche Mineralwasser • **Das können Sie nicht essen oder trinken:** eine Wasserflasche, eine Kaffeetasse, ein Saftglas, ein Weinglas
6 hätte • nehme • ist • macht • sind

S. 65/66

1 **a)** *Mögliche Lösungen:* Universität – viel lernen • Café – Kaffee trinken • Kino – einen Film sehen • Straße – Fahrrad fahren • Bäckerei – Brot kaufen
b) Universität: Hier kann Katrin viel lernen. • Café: Hier kann Katrin Kaffee trinken. • Kino: Hier kann Katrin einen Film sehen. • Straße: Hier kann Katrin Fahrrad fahren. • Bäckerei: Hier kann Katrin Brot kaufen.
2 2. Kannst 3. kann 4. können 5. Könnt 6. können
3 2. kann 3. muss 4. müssen 5. können 6. muss
4 1. müssen 2. kann 3. müssen 4. können 5. muss 6. kann, muss 7. müssen 8. Musst, Kannst
5

	Verb (Modalverb)	**Satzmitte**	**Satzende (Infinitiv)**
Was	möchte	Timo	machen?
Er	möchte	viele Fotos	machen.
Timo	kann	aber nicht gut	fotografieren.
Das	muss	er noch	lernen.

6 2. Beat und Regula möchten morgen kommen. 3. Müssen wir Kaffee kaufen? 4. Wir müssen keinen Kaffee kaufen. 5. Wir können Kuchen kaufen! 6. Regula und Beat möchten doch immer Torte essen! 7. Dann kaufen wir Kuchen und Torte.

S. 67

Im Deutschkurs

1 *Mögliche Lösungen:* 2. Einen Brief kann man lesen und schreiben. 3. Ein Wort kann man buchstabieren, hören, lesen und schreiben. 4. Gemüse kann man essen, verkaufen und kaufen. 5. Apfelsaft kann man trinken, verkaufen, kaufen und machen. 6. Musik kann man machen und hören. 7. Kuchen kann man essen, verkaufen, kaufen und machen. 8. Die Zeitung kann man lesen, kaufen und verkaufen.
2 *Mögliche Lösungen:* Man muss Deutsch sprechen und Grammatik lernen. • Man kann fragen und Dialoge hören. • Man kann nicht schlafen, nicht essen und nicht trinken.
3 2. man 3. er 4. Sie 5. man 6. Er 7. sie, sie

Lektion 5

S. 68/69

Leute in Hamburg

1 2. Lehrer 3. Verkäufer 4. Journalist 5. Kellner
2 2. Journalistin 3. Lehrer 4. Rentnerin 5. Fotograf 6. Köchin 7. Ärztin 8. Hausfrau
3 2. Sie fotografiert Menschen. 3. Er bringt Kaffee und Kuchen. 4. Sie verkauft Obst. 5. Er macht Interviews. 6. Er hat ein Restaurant.
4 **b)** 2. f 3. r 4. r 5. f

S. 69/70 Ein Stadtspaziergang

1 2E • 3B • 4F • 5D • 6A

2 **besichtigen:** eine Kirche, eine Stadt, ein Museum, den Hafen in Bremen • **beobachten:** Autos, eine Katze, Fische

S. 70/71

1 2. ... auf den Markt gehen!" 3. ... in einen Schreibwarenladen gehen!" 4. ... auf den Kirchturm steigen!" 5. ... in ein Café gehen!" 6. ... ins Zentrum fahren!"

2 *Mögliche Lösungen:* auf ein Haus schauen, in ein Haus gehen • auf den Markt schauen, auf den Markt gehen • auf die Schule schauen, in die Schule gehen • auf einen Supermarkt schauen, in einen Supermarkt gehen • auf die Stadt schauen, in die Stadt gehen • auf den Stadtplan schauen • auf die Straße schauen, auf die Straße gehen • auf Geschäfte schauen, in Geschäfte gehen

3 ins • auf den • auf die • auf den • auf den • ins • ins • in ein • in ein

4 **a)** wo • wohin • wohin • wohin • wo • wohin • wo

b) 2. Wohin geht er zuerst? 3. Wohin geht er dann? 4. Wo trinkt er einen Tee? 5. Wohin fährt er danach? 6. Wohin fährt er abends? 7. Wo ist er morgen? 8. Wohin fährt er am Montag?

S. 72 Der Tag von Familie Raptis

1 2. Mittags 3. Nachmittags 4. Abends 5. Nachts

2 *Mögliche Lösungen:* 2. morgens, abends 3. nachts, nachmittags 4. mittags 5. nachmittags, abends 6. nachmittags, abends

3 **a)** 2. Mittags frühstückt sie. 3. Nachmittags macht sie den Haushalt und kauft ein. 4. Abends trinkt sie Kaffee und fährt ins Krankenhaus. 5. Nachts arbeitet sie.

b) *Mögliche Lösungen:* Krankenschwester, Ärztin

S. 73/74

1 1. seinen, seinen (seine: Pl.) 2. ihren, ihren (ihre: Pl.), ihre 3. sein, seinen, seinen, sein 4. ihr, ihre, ihr

2 *Mögliche Lösungen:* Kostas fotografiert seine Kinder. • Kostas fotografiert seine Frau. • Die Kinder fotografieren ihre Großeltern. • Die Kinder fotografieren ihren Vater. • Die Kinder fotografieren ihre Katze. • Jakob fotografiert seine Schwester Lena. • Lena fotografiert ihren Bruder Jakob. • Die Eltern fotografieren ihre Kinder.

3 2. unser 3. unser 4. unseren 5. unser 6. unsere • 2. euer 3. euer 4. euren 5. euer 6. eure

4 *Mögliche Lösungen:* Ich suche meine Flöte. • Du suchst dein Fahrrad. • Lena und Jakob suchen ihre Katze. • Kostas Raptis sucht seine Kinder. • Wir suchen unseren Stadtplan. • Ihr sucht euer Auto. • Sie suchen Ihre Bücher.

5 **a)** 2. Seine Arbeit ist anstrengend, aber interessant. 3. Er arbeitet von Montag bis Freitag und manchmal auch am Wochenende. 4. Er hat nicht immer Zeit für seine Familie. 5. Abends bringt Kostas die Kinder ins Bett.

b) *Mögliche Lösung:* Andrea ist Deutschlehrerin von Beruf. Ihr Mann heißt Kostas und ihre Kinder heißen Lena und Jakob. Morgens frühstücken alle zusammen. Dann bereitet Andrea ihren Deutschunterricht vor und macht den Haushalt. Abends unterrichtet sie Deutsch.

S. 75/76 Früher und heute

1 **a)** **Früher:** Briefe, Lebensmittelgeschäfte, Busse, Radios, Fahrräder • **Heute:** E-Mails, Supermärkte, S-Bahnen, Fernseher, Autos

b) Früher gab es nur Lebensmittelgeschäfte, heute gibt es auch Supermärkte. • Früher gab es nur Busse, heute gibt es auch S-Bahnen. • Früher gab es nur Radios, heute gibt es auch Fernseher. • Früher gab es nur Fahrräder, heute gibt es auch Autos.

2 2. waren 3. sind 4. hatten 5. war

3 1. waren, hatte 2. hatten, Es gab, ist 3. waren, sind, gibt es 4. ist

S. 76

1 2E • 3G • 4D • 5H • 6A • 7F • 8C

2 2. Arbeiten Sie in Hamburg? / Arbeiten Sie nicht in Hamburg? 3. Trinken Sie nicht gern Kaffee? 4. Haben Sie eine Tochter? / Haben Sie keine Tochter? 5. Haben Sie keinen Computer? 6. Reisen Sie viel?

S. 77–79

1 Sehen Sie bitte im Kursbuch auf die Seite 64: der Lauch • die Karotte • die Fleischbrühe • der Aal • die Gabel • der Teller • das Messer • die Kräuter • der Essig • das Öl • das Salz •

2 der Pfeffer • der Topf

3 Abendessen • Frühstück • Mittagessen

4 2. salzt 3. kocht 4. legt, brät 5. schneidet
essen: das Brot: ich esse es, die Suppe: ich esse sie, die Tomaten: ich esse sie • **trinken:** die Getränke: ich trinke sie, der Saft: ich trinke ihn, die Milch: ich trinke sie, das Bier: ich trinke es

5 2. sie 3. ihn 4. sie 5. sie 6. ihn

6 2. ihn 3. sie 4. sie 5. sie 6. es 7. ihn 8. sie

7 2. Ich brauche sie nicht. 3. Ich brauche es nicht. 4. Ich brauche sie nicht. 5. Ich brauche sie nicht.

8 *Mögliche Lösung:* ... legt sie in die Brühe. Dann wäscht man den Lauch und schneidet ihn klein. Die Karotten wäscht man auch, schält sie und schneidet sie auch klein. Dann kocht man das ganze Gemüse zusammen. Zum Schluss gibt man die Kräuter in die Suppe und salzt und pfeffert die Suppe.

S. 80/81

1 **a)** 2. meine 3. meine 4. unseren 5. meine 6. meinen
b) 2. ihre 3. seine 4. ihren 5. seine 6. ihren

2 2. Ohne Fotoapparat 3. Ohne Ball 4. Ohne Radio 5. Ohne Karten

3 2. die 3. die 4. den 5. den

4 2. Das Radio ist für seine Kinder. 3. Die Flöte ist für seinen Sohn Jakob. 4. Die Computerspiele sind für seine Tochter Lena. 5. Der Fotoapparat ist für seine Eltern. 6. Die Schokolade ist für seinen Freund Thomas.

5 2. Wofür 3. Für wen 4. Für wen 5. Wofür 6. Wofür

6 2. Wofür 3. Wofür 4. Für wen 5. Für wen 6. Für wen

S. 82/83

1 **du:** für dich • **er:** für ihn • **sie:** für sie • **wir:** für uns • **ihr:** für euch • **Sie:** für Sie • **sie:** für sie

2 2. euch 3. uns 4. uns, euch 5. mich, dich 6. mich / uns

3 2. uns 3. uns 4. dich 5. uns 6. euch 7. uns 8. mich

4 2. ich, ihn, mich 3. Ich, es 4. ich, sie 5. ihr, sie 6. dich 7. er 8. sie 9. euch

5 2. sie 3. sie 4. ihn 5. ihn 6. sie 7. ihn 8. sie 9. ihn 10. sie 11. es 12. sie 13. sie 14. es

Lektion 6

Ortstermin Leipzig

S. 84–86

1 Klassentreffen • Programm • Treffpunkt • Kaffeepause • Feiern • Musik

2 die Schokoladentorte • das Klassentreffen • der Stadtspaziergang • der Treffpunkt • das Wochenende • das Krankenhaus

3 2. r 3. f 4. r 5. f

4 2. Wo ist das Klassentreffen? 3. Was liegt zehn Jahre zurück? 4. Wohin gehen alle um 16.30 Uhr? 5. Wann gehen sie in die Gosenschenke?

5 **Gespräch 1** (▶◁): Und wann? • Dann bis Dienstag. Tschüs. • **Gespräch 2** (●◁): Guten Tag, Frau Marek. • Kann ich bitte Jens sprechen? • Vielen Dank und auf Wiederhören.

6 2. Bierkeller 3. Gaststube 4. Vereinszimmer 5. Biergarten

7 1. ein Bier 2. Goslar 3. 1000 Jahre alt 4. in Deutschland

S. 87 Das Klassentreffen

1 **a)** *Lösungswort:* ABITUR
b) 1R • 2U • 3T • 4I • 5B • 6A

S. 88/89

1 2D • 3F • 4H • 5B • 6G • 7C • 8A • 9I
2 2. geplant 3. getrunken 4. gehabt 5. gesessen 6. gefunden
3 Hast ... gemacht • hat • haben ... gemacht • Habt ... gemacht • haben ... gemacht • hast ... gemacht
4 2. haben ... gegessen 3. hat ... getrunken 4. haben ... gelacht 5. haben ... geplant
5

	Verb	**Satzmitte**	**Satzende (Partizip Perfekt)**
Er	hat	Geld	gefunden.
	Hat	er gestern Wein	getrunken?
Was	hat	er gestern	gegessen?
Er	hat		gelacht.

6 2. Was haben sie gemacht? 3. Sie haben im Restaurant gesessen. 4. Haben sie gut gegessen? 5. Sie haben gut gegessen und getrunken. 6. Haben sie den Bahnhof gefunden? 7. Sie haben den Bahnhof gefunden. 8. Sie haben die Reise gemacht.

S. 90 Treffpunkt Augustusplatz

1 du wirst • er/sie/es wird • wir werden • ihr werdet • sie/Sie werden
2 2D • 3A • 4E • 5B
3 2. werden 3. wird 4. ist 5. werde 6. ist
4 spazieren gehen • nach Leipzig fahren • zu Fuß gehen • Zug fahren • ins Café gehen • nach Hause fahren, gehen

S. 91/92

1 2. geworden 3. gefahren 4. gefeiert 5. getroffen 6. geblieben 7. gewesen 8. gesehen
2 **sein:** werden, gehen, fliegen, sein, bleiben • **haben:** essen, finden, trinken, haben, lachen, treffen
3 hat • hat • hat • ist • haben • ist • hat • ist • ist • hat
4 *Mögliche Lösungen:* Ich habe eine Arbeit gefunden. • Tina ist nach Russland geflogen. • Wir haben Freunde getroffen. • Peter ist in Wien geblieben. • Ich bin krank geworden. • Wir haben Tee getrunken.
5 2. Sie haben Glück gehabt und eine Arbeit gefunden. 3. Tanja ist nach Spanien geflogen. Sascha ist krank geworden. 4. Elisabeth ist nach Erfurt gefahren. Ihre Großmutter ist 85 geworden. 5. Elisabeth hat Geburtstag gefeiert und ist nach Eisenach gefahren.

S. 93

1 **regelmäßig:** gehabt – haben, gesagt – sagen, gefeiert – feiern, gekauft – kaufen • **unregelmäßig:** geblieben – bleiben, gesehen – sehen, geschlafen – schlafen, geworden – werden, geflogen – fliegen, geschrieben – schreiben
2 2. Nein, ich habe keinen Wein getrunken. 3. Nein, ich bin nicht nach Leipzig gefahren. 4. Nein, ich habe kein Geld gefunden. 5. Nein, ich bin nicht krank geworden. 6. Nein, ich habe keine Freunde getroffen.

S. 93 Stadtspaziergang durch Leipzig

1 *Mögliche Lösung:* Das ist das Café Riquet. Es ist in Leipzig. Hier kann man schön sitzen, Milchkaffee trinken und Kuchen essen.

S. 94/95 Jahrgang „19 hundert 72“

1 2. 1953 3. 1607 4. 2013 5. 2029 6. siebzehnhundertvierundneunzig 7. zweitausendfünf 8. achthundert
2 **a)** die Heirat • die Demonstration • das Frühstück • der Spaziergang • das Studium • die Frage • die Antwort • die Reise • der Unterricht
b) besuchen – der Besuch • waschen – die Wäsche • besichtigen – die Besichtigung • feiern – die Feier • fliegen – der Flug • singen – der Gesang
3 2A • 3B • 4F • 5C • 6D

4 2. Herr Filipow studiert Deutsch. 3. Viele Menschen demonstrieren für den Frieden. 4. Marlene Steinmann fotografiert Menschen in Freiburg. 5. Ich nummeriere die Sätze. 6. In Übung 2 kombinieren wir Nomen und Verben.

5 **Lebenslauf:** Studium, Schulabschluss, Arbeit, Heirat, Schule, geboren

6 **b)** *Mögliche Lösung:* Von 1978 bis 1982 bin ich in die Grundschule gegangen. Von 1982 bis 1990 bin ich in die Thomas-Schule gegangen. Dort habe ich 1990 Abitur gemacht. Von 1990 bis 1996 habe ich in Frankfurt studiert. Von 1996 bis 1997 war ich arbeitslos (bin ich arbeitslos gewesen). Seit 1997 bin ich Fotografin. 1998 habe ich geheiratet. Und 1999 ist unsere Tochter Lena geboren. Seit 1999 bin ich Hausfrau.

S. 97–99 Kommen und gehen

1 7:40 – zwanzig vor acht • 6:30 – halb sieben • 23:45 – Viertel vor zwölf • 5:15 – Viertel nach fünf • 10:35 – fünf nach halb elf • 13:20 – zwanzig nach eins • 15:25 – fünf vor halb vier

2 2. Viertel nach sieben 3. halb zwei 4. zehn nach zehn 5. ein Uhr 6. Viertel vor acht

3 2. 6.30 Uhr / 18.30 Uhr 3. 11.45 Uhr / 23.45 Uhr 4. 5.55 Uhr / 17.55 Uhr 5. 10.35 Uhr / 22.35 Uhr 6. 1.20 Uhr / 13.20 Uhr

4 2. Um 18.54 Uhr. 3. Um 15.45 Uhr und um 20.15 Uhr. / Um Viertel vor vier und um Viertel nach acht. 4. Um 17.55 Uhr und um 18.25 Uhr. / Um fünf vor sechs und um fünf vor halb sieben. 5. Um 15 Uhr, um 19.49 Uhr und um 20 Uhr. / Um drei, um zehn vor acht und um acht.

5 2. um halb zwei (13.30 Uhr) 3. um Viertel nach zwei (14.15 Uhr) 4. um fünf nach halb drei (14.35 Uhr) 5. um fünf Uhr (17 Uhr)

6 halb sieben • Viertel vor acht • Viertel nach neun • halb zehn

7 2. am 3. um 4. Von … bis 5. Um 6. Ab 7. seit 8. Am

Lektion 7

S. 100/101 Ein Hotel in Salzburg

1 **Orte:** das Einzelzimmer, das Schwimmbad, der Frühstücksraum, die Sauna, das Bad • **Berufe:** die Empfangschefin, die Köchin, der Hotelier, der Kellner, der Musiker

2 Doppelzimmer • Bad • Restaurant • Bar • Empfangschefin • Koch • Gäste • Zithermusik

3 2. Ja, ich empfange auch meine Gäste. 3. Nein, wir kochen das Essen nicht. / Nein, das Essen kochen wir nicht. 4. Nein, das macht unser Kellner Herr Riedl. 5. Natürlich serviere ich auch die Getränke. 6. Ich spiele abends Zither im Restaurant.

S. 101–105 Arbeit und Freizeit

1 **Arbeit:** für die Gäste kochen, Hotelzimmer aufräumen, Hotelgäste empfangen, Fenster putzen, unterrichten • **Freizeit:** Salzburger Nockerln essen, Fahrrad fahren, Freunde besuchen, Zeitung lesen, Sport machen

2 abfahren • einladen • vorbereiten • stattfinden • auswechseln • anfangen • mitbringen

3 2. ab, abfahren 3. aus, auswechseln 4. auf, aufmachen 5. mit, mitbringen 6. statt, stattfinden 7. ein, einladen 8. vor, vorbereiten

4 2. machen Frau Ponte und Frau Novaková die Betten in den Zimmern Nr. 1–5. 3. bereitet Herr Walketseder das Mittagessen vor. 4. wechselt Frau Ponte die Handtücher aus. 5. serviert Herr Mikulski das Mittagessen. 6. räumen Frau Ponte und Frau Novaková die Doppelzimmer Nr. 7 und 8 auf. 7. bereitet Herr Walketseder das Abendessen vor. 8. serviert Herr Mikulski das Abendessen. 9. spielt Herr Hinterleitner Zither. 10. bringt Herr Mikulski Getränke.

5 2. aufgeräumt 3. aufgestanden 4. ausgewechselt 5. angekommen 6. mitgebracht 7. abgefahren

6 2. aufgeräumt 3. aufgemacht 4. mitgebracht 5. aufgestanden 6. vorgelesen

7 2. Hast du schon die Betten gemacht? 3. Hast du schon die Fenster aufgemacht? 4. Hast du schon die Handtücher ausgewechselt? 5. … Gäste schon abgefahren? 6. Sind die Gäste schon angekommen? 7. Hast du die Brezeln schon mitgebracht? 8. Hast du schon Kaffee gekocht?

8 2. gerade 3. schon 4. schon 5. schon 6. gerade

9 2. hat … gefeiert, ist … geworden, hat … stattgefunden 3. hat … getroffen, hat … gemacht 4. hat … geheiratet, ist … gekommen, hat … mitgebracht 5. hat … gearbeitet, getrunken, ist … gewesen 6. ist … gewesen, hat … gesprochen

S. 105–108 Unterwegs nach Salzburg

1 **a)** 2. Es ist regnerisch. 3. Es ist windig. 4. Es ist bewölkt.
b) 2A • 3B • 4E • 5D

2 2. Es ist regnerisch. Die Temperatur beträgt 20° C. 3. Es ist bewölkt. Die Temperatur beträgt 22° C. 4. Es ist sonnig. Die Temperatur beträgt 24° C.

3 2. aufgestanden 3. Regenschirm 4. Sauna 5. Wetterbericht 6. anrufen

4 2. verstanden 3. verloren 4. erklärt 5. bestellt 6. begonnen, vergessen

5 2. entdeckt 3. erklärt 4. erklären 5. entdeckt

6 **a)** 2. trennbar 3. untrennbar 4. untrennbar 5. trennbar 6. trennbar 7. untrennbar 8. untrennbar 9. trennbar 10. untrennbar 11. untrennbar 12. trennbar
b) 2. Sie hat den Text vorgelesen. 3. Er hat die Hotelgäste empfangen. 4. Er hat die Leute beobachtet. 5. Sie haben die Handtücher ausgewechselt. 6. Sie sind aus Wien zurückgekommen. 7. Er hat die Familie besucht. 8. Sie haben die Getränke bezahlt. 9. Sie hat Gemüse eingekauft. 10. Sie hat den Weg erklärt. 11. Sie hat das Geld vergessen. 12. Er hat um 20 Uhr angefangen.

7

	Verb	**Satzmitte**	**Satzende**
2. Die japanischen Touristinnen	haben	Salzburger Nockerln	bestellt.
3. Der Koch	kauft	alle Zutaten für das Abendessen	ein.
4. Der Kellner	vergisst	die Getränke.	
5. Marlene Steinmann	möchte	viele Fotos von Salzburg	machen.
6.	Sind	die Gäste schon	abgefahren?
7. Jonas Kajewski	hat	seine Sonnenbrille	verloren.
8.	Räumt	ihr die Doppelzimmer	auf?

8 2. Von 8.45 Uhr bis 9.30 Uhr habe ich telefoniert und ein Fax geschrieben. 3. Dann habe ich Informationen im Internet gesucht und einen Plan gemacht. 4. Um 11.00 Uhr habe ich eine Kundin besucht. 5. Um 12.30 Uhr habe ich Mittagspause gemacht und zu Mittag gegessen. 6. Nachmittags habe ich den Film ausgewechselt, Leute beobachtet und fotografiert. 7. Um 16.30 Uhr bin ich ins Büro zurückgegangen und habe aufgeräumt. 8. Ab 20.00 Uhr habe ich Krimis im Fernsehen angeschaut.

S. 109–111 An der Rezeption

1 **b)** 1. r 2. f 3. f 4. r 5. r 6. r

2 2. Empfangschefin 3. Empfangschefin 4. Gast 5. Gast 6. Empfangschefin 7. Gast 8. Empfangschefin

3 2F • 3B • 4G • 5A • 6D • 7E

4 *Mögliche Lösungen:* 2. Nein, ich habe nicht reserviert. 3. Ein Einzelzimmer, bitte. 4. Ich bleibe zwei Nächte. 5. Nein, ich nehme Halbpension. 6. Nein, ich habe nur einen Koffer.

5 reservieren • demonstrieren • buchstabieren • studieren • informieren • verlieren • fotografieren

6 2. habe … besucht, studiert 3. habe … gearbeitet 4. habe … getroffen 5. haben … geheiratet 6. sind … gegangen 7. haben … mitgebracht 8. haben … gefunden, sind … gewesen 9. haben … gemacht 10. hat … gefunden 11. bin … geblieben, habe … aufgeräumt, geputzt 12. habe … angefangen

S. 112–114 Im Speisesaal

1 a) 2. einer Zither 3. zwei Kindern 4. Kameras 5. einem Handy 6. einem Teller
b) 2. der Zither macht Musik. 3. mit den zwei Kindern sind nervös. 4. den Kameras bestellen Salzburger Nockerln. 5. dem Handy telefoniert. 6. dem Teller serviert Salzburger Nockerln.

2 1. mit den Filmen, mit den Visitenkarten, mit der Zeitung, Marlene Steinmann 2. mit den Handtüchern, mit dem Wörterbuch, mit der Kamera, mit dem Buch über Salzburg, Akiko Tashibo 3. mit dem Fußball, mit der Flöte, mit der Banane, mit dem Kinderbuch, Jonas Kajewski

3 2D • 3E • 4F • 5A • 6B

4 2. Womit? 3. Mit wem? 4. Womit? 5. Womit? 6. Mit wem? 7. Mit wem? 8. Womit?

5 2. Wofür braucht man viele Eier? 3. Mit wem geht Susanne immer joggen? 4. Ohne wen fährt Herr Kajewski nicht in den Urlaub? 5. Ohne was geht Marlene Steinmann nie auf die Reise? 6. Womit bezahlt man in Österreich?

6 2. Laura telefoniert mit ihrem Großvater und dann mit ihrer Freundin. 3. Wir telefonieren mit unserem Großvater und dann mit unseren Eltern. 4. Ich telefoniere mit meiner Freundin und dann mit meinen Eltern. 5. Simon und David telefonieren mit ihrer Freundin und dann mit ihrem Freund. 6. Du telefonierst mit deinem Großvater und dann mit deiner Deutschlehrerin.

S. 115 Wolfgang Amadeus Mozart

1 b) 2. Musiker 3. Konzertreise 4. Konzertmeister 5. Oper 6. Sinfonie 7. Konzert 8. Musikwelt

2 2. Auch sein Vater war Musiker von Beruf. 3. Mit 6 Jahren macht er schon Konzertreisen. 4. Er zieht 1780 nach Wien um. 5. Mozart und Constanze haben nicht viel Geld. 6. 1787 komponiert Mozart die Oper "Don Giovanni". 7. Er ist oft krank. 8. Mozart stirbt mit 35 Jahren.

Lektion 8

S. 116/117 Projekt: Nürnberg – unsere Stadt

1 2. Projekt 3. Projektthema 4. Gruppen 5. Arbeit 6. Wandzeitung

2 2D • 3E • 4C • 5B • 6A

3 2. Drei oder vier Kursteilnehmer arbeiten in jeder Projektgruppe. 3. Jede Arbeitsgruppe sammelt Informationen über Nürnberg. 4. Die Kursteilnehmer gehen in die Touristen-Information und bringen Prospekte mit. 5. Die Projektgruppen machen viele Interviews. 6. Der Deutschkurs macht eine Wandzeitung über Nürnberg.

4 2. Bratwürste 3. Projekt 4. Christkindlesmarkt 5. Lebkuchen 6. Atelier 7. Brunnen 8. Burg • *Lösungswort:* Nürnberg

5 bin ... gefahren, habe ... getroffen • bin ... angekommen, haben ... geschlafen • haben ... gefrühstückt, sind ... gefahren, haben ... besichtigt • haben ... gegessen, getrunken • haben ... gekauft • habe ... vergessen • sind ... gewesen

S. 118–120 Straßen und Plätze in Nürnberg

1 a) 2. dem 3. dem 4. der 5. dem 6. dem
b) 3. in dem 4. am 5. in dem 6. im 7. an dem 8. im

2 2. Die Koffer sind auf dem Auto. 3. Der Regenschirm ist in der Dusche. 4. Das Handy ist auf der Bank. 5. Das Kind ist im Bett. 6. Die Brille ist im Schwimmbad. 7. Die Schlüssel sind an der Tasche. 8. Das Fahrrad ist an der Haltestelle.

3 2. in der Oper. 3. im Krankenhaus. 4. im Restaurant. 5. auf dem Christkindlesmarkt. 6. im Hotel. 7. in der Bäckerei. 8. im Supermarkt.

4 2. in einem 3. an einem 4. in einem 5. an einer 6. an einem

5 2. Die Freunde feiern in einem Restaurant. 3. Die Kinder spielen auf einem Spielplatz. 4. Die Gäste schlafen in einem Bett. 5. Die Köchin kocht in einem Topf. 6. Ich warte an einer Haltestelle.

6 2. Bewegung haben 3. nicht krank sein 4. in einem Restaurant essen 5. funktionieren 6. in einem anderen Land leben

S. 120–123

1 **a)** 2E • 3C • 4A • 5D • 6B
b) 2C • 3F • 4B • 5A • 6E

2 **wo:** bleiben, sitzen, sein, schlafen • **woher:** gehen, fahren, schauen, fliegen

3 2. fahren in die Stadt. 3. steigt auf den Turm. 4. wohnen im Dorf. 5. ist am Haus. 6. wartet an der Haltestelle. 7. arbeitest im Krankenhaus. 8. geht / gehen ins Kino.

4 2. in die 3. in den 4. im 5. in der 6. ins

5 2. Wo spielen die Kinder? 3. Wo arbeitet Hans? 4. Möchtest du heute ins Theater gehen? 5. Wohin geht Marlene? 6. Wohin ist Tim gefahren?

6 **b)** 1. in der Albrecht-Dürer-Straße 2. die Bäckerei Fischer

7 2B • 3D • 4F • 5G • 6C • 7A •

8 *Mögliche Lösungen:* 2. Er geht nach rechts und dann die nächste links. Dann ist er in der Schulgasse. 3. Er geht nach links, dann die zweite Straße rechts in die Kaiserstraße und dann geht er in die erste Straße links. Dann kommt er in die Adlerstraße.

S. 124–126 Im Atelier für Mode und Design

1 2. leicht 3. bestellt 4. Werbung 5. Schneiderin 6. nähen 7. Kleidungsstücke 8. genau.

2 2. hat ... anprobiert 3. hat ... gekauft 4. hat ... umgetauscht 5. hat ... genäht 6. hat ... bestellt

3 2. besuchen 3. besucht 4. sucht 5. besuchen 6. habe ... gesucht 7. suche 8. besucht

4 **a)** 2. r**o**t 3. gr**ü**n 4. g**e**lb 5. bl**au** 6. br**au**n 7. schw**a**rz 8. gr**au**
b) 2. H**o**se 3. M**a**ntel 4. P**u**ll**o**ver 5. Kl**ei**d 6. R**o**ck 7. H**e**md 8. Bl**u**se

5 **a)** 2. Ein Kleid. Es ist rot. 3. Ein Kleid. Es ist schwarz. 4. Eine Jacke. Sie ist schwarz. 5. Eine Jacke. Sie ist braun. 6. Ein Hemd. Es ist grün. 7. Einen Pullover. Er ist blau. 8. Eine Hose. Sie ist braun.
b) 1. ein Kleid 2. eine Jacke 3. ein Pullover

6 Anna, Hose, rot, 40 • Dieter, Mantel, grau, 50 • Beatrice, Kleid, grün, 36 • Carlos, Jacke, grün, 52

S. 126/127

1 **Welcher:** Brunnen, Deutschkurs, Mantel • **Welche:** Farbe, Kirche, Stadt, Größe • **Welches:** Eis, Projekt, Theater, Haus • **Welche (Pl.):** Filme, Hosen, Sprachen, Kleider

2 **a)** 2. Welche Farbe ist das? 3. Welche Stadt ist das? 4. Welcher Kuchen ist das? 5. Welche Größe ist das? 6. Welches Eis ist das?
b) 2. Welche Bluse probiert sie? 3. Welche Schlüssel sucht er? 4. Welches Hotel reservieren sie / Sie? 5. Welchen Kuchen möchtet ihr / möchten Sie? 6. Welchen Kurs machen Sie / machst du?

3 Kunde / Kundin 3. Verkäufer / Verkäuferin 4. Verkäufer / Verkäuferin 5. Kunde / Kundin 6. Kunde / Kundin 7. Kunde / Kundin 8. Verkäufer / Verkäuferin

4 Schwarz. Vielleicht auch dunkelgrün. • Wie finden Sie ihn? • Gerne, welche Größe brauchen Sie? • Hier sind die Umkleidekabinen. • Ja, er passt gut. Was kostet der Rock denn? • Ach, ich weiß noch nicht.

S. 128 Im Lebkuchenhaus

1 **b)** 1. f 2. f 3. r 4. r 5. f 6. r

S. 128–130

1 **Dürfen:** 2. darfst 3. darf 4. dürfen 5. Dürft 6. dürfen • **Wollen:** 2. Willst 3. will 4. wollen 5. Wollt 6. wollen

2 **a)** *Mögliche Lösungen:* **Das wollen Kinder:** laut Musik hören, viel Eis essen • **Das dürfen Kinder nicht:** Auto fahren, rauchen • **Das dürfen Kinder:** fernsehen, ihre Freunde treffen • **Das wollen Kinder nicht:** Grammatik lernen, im Haushalt arbeiten

b) *Mögliche Lösungen:* Kinder wollen laut Musik hören. • Kinder wollen viel Eis essen. • Kinder dürfen nicht rauchen. • Kinder dürfen nicht Auto fahren. • Kinder dürfen ihre Freunde treffen. • Kinder dürfen fernsehen. • Kinder wollen nicht Grammatik lernen. • Kinder wollen nicht im Haushalt arbeiten.

3 **a)** 2. will 3. will 4. Wollen 5. wollen 6. will, wollen
b) 2. darf 3. dürfen 4. darf 5. dürfen 6. dürfen

4 *Mögliche Lösungen:* Du willst keinen Kaffee trinken. • Ich darf keine Limonade trinken. • Anke und Andreas dürfen nicht fotografieren. • Ihr wollt keine Freunde besuchen. • Mama und ich dürfen nicht viel Schokolade essen.

5 *Mögliche Lösungen:* Mein Ehemann muss immer Betten machen. • Meine Schwester darf oft einkaufen gehen. • Unsere Töchter möchten manchmal putzen. • Unser Vater will selten waschen. • Meine Freundin und ich müssen nie aufräumen.

6 2. darf 3. dürfen 4. dürft 5. müssen 6. muss 7. dürfen 8. muss

S. 131

Projekte präsentieren

1 **b)** 1. Man muss Lebkuchen backen. 2. Lebkuchen schmeckt süß. 3. Man isst Lebkuchen kalt.

Lektion 9

S. 132/133

Eine Stadt im Dreiländereck

1 2D • 3A • 4E • 5B • 6C

2 2. die Sprache 3. das Gebirge 4. die Region 5. der Kanton 6. die Stadt

3 Verkehr • Export • Gebirge • Veranstaltung • Medikamente

4 2. Pendler 3. mehrsprachig 4. Luft 5. Großstadt 6. Pharmakonzerne

5 2. b) 3. a) 4. c) 5. b) 6. c) 7. b) 8. a)

S. 134

Stadt und Land

1 2C • 3F • 4A • 5D • 6B

2 **Landleben:** Die Mieten sind niedriger. Es gibt viel Natur. Das Leben ist billiger. • **Stadtleben:** Das Leben ist interessanter. Das Kulturangebot ist besser. Es gibt mehr Arbeitsplätze.

S. 134–137

1 **Adjektiv:** gut, ruhig, gern, groß, schnell, viel, billig • **Komparativ:** interessanter, teurer, besser, lieber, höher, dunkler, gesünder

2 2. sauberer 3. interessanter 4. niedriger 5. ruhiger 6. bequemer

3 2. Das Buch ist interessanter als der Film. Der Film ist uninteressanter als das Buch. 3. Martin Miller fotografiert schlechter als Marlene Steinmann. Marlene Steinmann fotografiert besser als Martin Miller. 4. Das Fahrrad ist billiger als das Auto. Das Auto ist teurer als das Fahrrad. 5. Das Haus ist kleiner als die Kirche. Die Kirche ist größer als das Haus. 6. Die Kinder sind zufriedener als der Großvater. Der Großvater ist unzufriedener als die Kinder.

4 7. besser 8. weniger 12. mehr 14. dunkler 15. voller 16. teurer 18. lieber 19. dunkler 21. sauberer 22. wärmer 23. älter 24. höher 26. länger 27. leerer

5 2. Das Theater ist näher als das Museum. 3. Frankreich ist größer als die Schweiz. 4. Basel ist älter als Kilchberg. 5. Italien ist wärmer als Deutschland. 6. Der Rhein ist länger als die Elbe.

6 höher, dunkler • mehr • teurer • besser

7 Wir joggen gern, aber unsere Kinder machen lieber Musik. • Inge wandert gern, aber Johannes macht lieber Musik. • Familie Schulz fährt gern Fahrrad, aber Familie Troll liest lieber Krimis. • Emil geht gern ins Kino, aber Beat fährt lieber Fahrrad. • Urs wandert gern, aber seine Frau geht lieber ins Kino.

8 2. sagt 3. Sprechen 4. erzählt 5. sprechen 6. Erzählen

9 **a)** gesund • billig • sauber • laut • wenig • schlecht • unfreundlich
b) 2. ruhiger 3. freundlicher 4. besser 5. lieber 6. mehr 7. sauberer 8. gesünder

S. 138–140 Pendeln – aber wie?

1 **a)** am bequemsten • am besten • am vollsten • am gesündesten • am billigsten • am teuersten
b) 2. am bequemsten 3. am besten 4. am vollsten 5. am gesündesten, am billigsten 6. am teuersten

2 2. Obst ist am gesündesten. 3. Das Flugzeug ist am schnellsten. 4. Auf dem Dorf ist es am ruhigsten. 5. Der Berg Monte Rosa ist am höchsten. 6. Der Computer ist am teuersten.

3 2. interessantesten 3. schlechtesten 4. lautesten 5. berühmtesten 6. heißesten

4 2. älter 3. am interessantesten 4. teurer 5. viel 6. höher 7. gut 8. dunkler

5 **a)** 2. voll 3. dunkel 4. alt
b) *Mögliche Lösungen:* Welches Glas ist am vollsten? Das Glas Nr. 1 ist voller als das Glas Nr. 3, aber das Glas Nr. 2 ist am vollsten. • Welche Brille ist am dunkelsten? Die Brille Nr. 1 ist dunkler als die Brille Nr. 3, aber die Brille Nr. 2 ist am dunkelsten. • Welcher Mann ist am ältesten? Der Mann Nr. 3 ist älter als der Mann Nr. 1, aber der Mann Nr. 2 ist am ältesten.

6 2. am höchsten, Monte Rosa (4634 m). 3. am ältesten, Die Universität Basel. 4. am berühmtesten, Schokolade. 5. am größten, Graubünden (7105 km^2). 6. am meisten, Schweizerdeutsch.

7 2. Regula ist groß, Marcel ist größer, Ilona ist am größten. 3. Ilona ist zufrieden, Marcel ist zufriedener, Regula ist am zufriedensten. 4. Ilona lebt gesund, Hugo lebt gesünder, Regula lebt am gesündesten.

8 2. mehr 3. früh 4. länger 5. mehr 6. interessant

9 2. wie 3. als 4. als 5. als 6. wie

S. 141–143 Arbeiten in Basel

1 2. Herr Eberle ist Grenzgänger und Pendler. 3. Er wohnt in Deutschland und arbeitet in der Schweiz. 4. Jeden Morgen fährt er mit dem Auto nach Basel. 5. Er ist Chemielaborant und arbeitet bei einem Pharmakonzern. 6. In seiner Firma arbeiten viele Leute aus Deutschland.

2 2F • 3D • 4C • 5B • 6A

3 2. Wohin? 3. Woher? 4. Wo? 5. Woher? 6. Wohin?

4 **Woher:** aus Deutschland, aus der Schweiz, aus der Schule, aus dem Kino, von der Arbeit, vom Theater, von Frau Bürgi, von der Kursleiterin • **Wo:** in Frankreich, in der Schweiz, in der Schule, im Kino, bei der Arbeit, beim Theater, bei Frau Bürgi, bei der Kursleiterin • **Wohin:** nach Italien, in die Schweiz, in die Schule, ins Kino, zum Theater, zu Frau Bürgi

5 **a)** 2. aus 3. aus 4. von 5. vom
b) 2. bei 3. in 4. bei 5. im 6. bei
c) 2. zu 3. zum 4. in 5. nach

6 1. mit, aus, mit, zur 2. aus, vom, bei, vom, zur 3. zum, mit, mit, von

7 2. der 3. zum 4. der 5. der 6. zum 7. dem 8. der

8 2. Ich habe früher in Basel gearbeitet. 3. Ich arbeite bei einem Pharmakonzern. 4. Meine Kollegen kommen aus der Schweiz. 5. Heute fahre ich zum Arzt. 6. Ich kenne sie von der Arbeit. 7. Heute Abend gehe ich zu Freunden.

9 2. schon 3. schon 4. erst 5. schon 6. erst

S. 144–146 Basel international

1 **b)** 1. f 2. r 3. r 4. f 5. f 6. r

2 2. ihm 3. ihr 4. ihnen 5. ihm 6. ihm

3 2. ihm 3. Ihnen 4. euch 5. ihr 6. ihnen

4 2. ihm 3. ihr 4. mir, mir

5 1. Japanerin, Japan 2. Chilenin, chilenisch, Chile 3. Rumäne, Rumänin, rumänisch 4. Däne, Dänin, Dänemark 5. Ungarin, ungarisch, Ungarn 6. Pole, Polin, Polen 7. Brite, Britin, Großbritannien 8. Amerikaner, amerikanisch, Amerika / USA 9. Schweizer, Schweizerin, die Schweiz 10. Deutsche, deutsch, Deutschland

6 2. Russisch, Russland 3. Tschechin, Tschechisch 4. Italienisch, Italien 5. Französisch, Frankreich 6. Pole, Polen 7. Koreanisch, Korea 8. Schwedisch, Schweden

7 2. Türkisch 3. Russisch 4. Indonesisch 5. Arabisch 6. Schweizerdeutsch

8 **a)** 2. die Niederlande 3. die Schweiz 4. die Türkei 5. der Iran 6. die USA
b) 2. in die 3. im 4. in die 5. im 6. in die

9 **In der Schweiz:** 3. das Velo 5. der Chauffeur • **In Deutschland:** 2. Auf Wiedersehen 4. der Euro 6. die Straßenbahn

S. 147 Aus der Basler Zeitung

1 **b)** 2. Nr. 2 • 3. Nr. 1 • 4. Nr. 4 • 5. Nr. 5 • 6. Nr. 3

Lektion 10

S. 148/149 Glückaufstraße 14, Bochum

1 2. die Treppe 3. der Balkon 4. das Treppenhaus 5. das Dachgeschoss 6. das Erdgeschoss 7. der Laden 8. die Garage

2 2. das Bad 3. das Kinderzimmer 4. das Wohnzimmer 5. das Schlafzimmer 6. die Küche

3 1. r 2. f 3. r 4. f 5. f 6. r

4 **a)** Balkon • Erdgeschoss • Kinderzimmer • Treppenhaus • Wohnung
b) Wohnung, Kinderzimmer • Erdgeschoss • Balkon • Garage • Treppenhaus

5 *Mögliche Lösungen:* 2. Das ist Birgül Alak. Sie ist Ladenbesitzerin und wohnt im Erdgeschoss. Ihre Wohnung hat einen Hof und eine Garage, aber keinen Balkon. 3. Das ist Tao Gui. Er ist Student und kommt aus Singapur. Er wohnt in einem 1-Zimmer-Appartement mit Küchenzeile. Sein Appartement ist im Dachgeschoss.

6 2A • 3B • 4F • 5E • 6D

S. 150/151 Die Zeche Helene

1 **früher:** das Bergwerk, Kohle abbauen, der Bergmann, wenig Tageslicht • **heute:** das Sport- und Freizeitzentrum, das Programm für Kinder, Sauna und Solarium, Biergarten im Sommer

2 1. r 2. f 3. f 4. r 5. r 6. r

3 2. abbauen 3. besuchen 4. verbringen 5. treffen 6. sein

4 2. Man kann Fußball spielen. 3. Man kann in das Solarium gehen. 4. Man kann schwimmen. 5. Man kann Fitness machen. 6. Man kann Tennis spielen.

S. 151/152

1 **a)** 2D • 3F • 4H • 5G • 6E • 7A • 8C
b) 2. Angela 3. Christiane 4. Angela 5. Christiane 6. Angela

2 2. Ich habe dich ja schon ewig nicht mehr gesehen! 3. Arbeiten Sie noch immer bei Bosch? 4. Erzählen Sie doch mal ein bisschen! 5. Was hast du denn in letzter Zeit so gemacht?

3 2. Wie geht es denn so? 3. Ich hab dich ja noch nie hier gesehen. 4. Was hast du denn in letzter Zeit so gemacht? 5. Wohnst du immer noch in Bergkamen? 6. Arbeitest du immer noch bei der Firma Meyer? 7. Was macht deine Familie? 8. Kann ich deine neue Telefonnummer haben? Vielleicht können wir ja mal telefonieren?

S. 153–155 Zwei Biografien

1 **Zeche:** Kohle abbauen, Bergleute, kein Tageslicht • **Internetfirma:** Marketingassistentin, Büro, Computer

2 2. Kerstin 3. Otto 4. Kerstin 5. Kerstin 6. Otto

3 **wollen:** will, wollten, wollen 2. **können:** kann, konntest, könnt 3. **müssen:** müssen, musste, musst 4. **dürfen:** dürfen, durfte, darf

4 2. Herr Grabowski musste oft Nachtschicht machen. 3. Tao und Ying konnten früher noch nicht Deutsch sprechen. 4. Ihr durftet als Kinder nie fernsehen. 5. Du durftest früher nicht alleine ausgehen. 6. Wir mussten früher immer unsere Zimmer aufräumen.

5 **a)** 2. konntest, durftest 3. konnte, durfte 4. konntet, durftet 5. konnten, durften
b) 2. wollte, musste 3. wolltet, musstet 4. wollte, musste 5. wollten 6. mussten

6 **a)** musste • durfte • durfte, musste • musste
b) konnte • wollte • konnte • wollte • wollte
c) durfte keine, durfte keinen • durfte nicht, keinen • durfte nicht

7 2. Früher durfte er keine Computerspiele machen. 3. Früher musste er jeden Abend zu Hause bleiben. 4. Früher durfte er nicht auf Partys gehen. 5. Früher wollte er immer eine Freundin haben, konnte aber keine finden. 6. Früher musste er Mathematik studieren.

8 1. konnte 2. war, wollte 3. gab 4. wollten 5. musste 6. durfte 7. hatte 8. durfte

S. 155–158 Lebensmittel Alak

1 2. Nachtschicht 3. Kohle 4. Leergut 5. Sonderangebot 6. Treppe

2 2. Flasche 3. Glas 4. Schachtel 5. Kasten 6. Paket 7. Dose 8. Tüte

3 **a)** 2. Singular 3. Plural 4. Singular 5. Plural 6. Plural 7. Plural 8. Singular
b) Gläser • Tüten • Schachteln • Pakete • Dosen • Packungen • Kästen

4 **Getränke:** Traubensaft, Orangensaft **Gemüse:** Karotten, Zwiebeln, Lauch • **Obst:** Äpfel, Orangen, Birnen • **Fleisch:** Schinken, Schnitzel, Wurst • **Süßigkeiten:** Schokolade, Pralinen, Mozartkugeln • **Molkereiprodukte:** Käse, Joghurt, Butter

5 2. 1500 g • 3. 9 Pfd • 4. 2,5 kg • 5. 6000 g • 6. 2 kg

6 2. kostet 3. kostet 4. kosten 5. kosten 6. kostet

7 2. c) 3. c) 4. a) 5. b) 6. c) 7. b) 8. b)

8 **a)** **Sonderangebote sind:** 2. 4. 6.
b) 2. teurer 3. frischer 4. mehr 5. freundlicher 6. länger

9 2. unfreundlich 3. freundlich 4. unfreundlich 5. freundlich 6. unfreundlich

S. 158/159 Meinungen über das Ruhrgebiet

1 2B • 3C • 4A

2 Viele Industriegebäude sind Museen geworden, weil die Leute über 180 Jahre Industriegeschichte sehen wollen. • Es gibt gute Freizeitmöglichkeiten, weil man viele kulturelle und sportliche Veranstaltungen besuchen kann. • Das Ruhrgebiet ist ein internationaler Wohnort, weil dort Menschen aus vielen Ländern leben. • Viele Menschen sind arbeitslos, weil die Stahlfabrik in Duisburg geschlossen hat. • Viele Studenten wohnen in einer Wohngemeinschaft, weil sie dann weniger Miete bezahlen.

S. 159–162

1 2. Viele Industriegebäude sind heute Museen, weil man dort viel über Industriegeschichte lernen kann. 3. Es gibt viele Arbeitslose, weil die Stahlindustrie im Ruhrgebiet große Probleme hat. 4. Das Ruhrgebiet ist sehr interessant, weil dort Menschen aus vielen Ländern leben. 5. Federica Petrera möchte nicht mehr in einer Wohngemeinschaft wohnen, weil sie eine große Wohnung möchte. 6. Die Zeitung macht eine Umfrage, weil sie Informationen bekommen möchte.

2 2. Weil Otto Grabowski viele Kollegen aus der Türkei hatte, konnte er früher ein bisschen Türkisch sprechen. 3. Weil unser Chef viel gearbeitet hat, mussten wir auch viele Überstunden machen. 4. Weil wir oft Nachtschicht machen mussten, war ich mit meiner Familie nur am Wochenende zusammen. 5. Weil wir jeden Tag zwölf Stunden arbeiten mussten, war die Arbeit im Bergwerk sehr hart.

3 2. Viele Leute kommen zu Frau Alak, weil sie Kontakt haben möchten. Weil sie Kontakt haben möchten, kommen viele Leute zu Frau Alak. 3. Frau Alak verkauft gut, weil sie frische Produkte anbieten kann. Weil sie frische Produkte anbieten kann, verkauft Frau Alak gut. 4. Die Rentner kaufen bei Frau Alak, weil es viele Sonderangebote gibt. Weil es viele Sonderangebote gibt, kaufen die Rentner bei Frau Alak.

4 2. Die Kauffrau Renate Pokanski findet, dass Industriegeschichte interessant ist. 3. Der Mechaniker José Rodrigues sagt, dass seine ganze Familie in Portugal lebt. 4. Stefanie Fritsch, Auszubildende, denkt, dass die Ausbildung Spaß macht. 5. Der arbeitslose Friedrich Bertsch glaubt, dass es nicht leicht ist, eine Arbeit zu finden. 6. Der Rentner Otto Grabowski weiß, dass die Arbeit im Bergwerk hart war.

5 **a)** 2. Otto Grabowski denkt, dass heute niemand mehr körperlich arbeiten will. 3. Kerstin Schmittke weiß, dass 15 Überstunden pro Woche anstrengend sind.

b) 2. Frau Alak glaubt, dass die Leute lieber in ihrem Geschäft einkaufen als im Supermarkt. 3. Tao Gui findet, dass die Studenten bei ihnen mehr Prüfungen machen als in Deutschland.

6 2. sie 3. sie 4. er 5. uns 6. ich

7 2. dass 3. weil 4. dass 5. dass 6. weil

8

Hauptsatz				**Nebensatz**		
Pos. 1	**Verb**	**S.-Mitte**	**Satzende**	**Subj.**	**Satzmitte**	**Satzende**
Er	sagt		zu Frau Alak,	dass	er 10 Freunde	eingeladen hat.
Frau Alak	meint,			dass	ein Paket für 10 Personen zu wenig	ist.

Nebensatz			**Hauptsatz**		
Subj.	**S.-Mitte**	**Satzende**	**Verb**	**Satzmitte**	**Satzende**
Weil	Tao Gui viel	eingekauft hat,	nimmt	er noch eine Plastiktüte.	
Dass	er auch noch Fleisch	braucht,	hat	er ganz	vergessen.

9 2. Herr und Frau Hoffmann sagen, dass sie nicht mehr schlafen können, weil das Baby von Familie Gül die ganze Nacht laut ist. 3. Walter Kowalski sagt, dass die Arbeit dort keinen Spaß macht, weil die Mieter nur Probleme machen. 4. Christine, Anna und Peter sagen, dass ihr Hausmeister sehr anstrengend ist, weil er immer alles wissen möchte. 5. Josef und Andrea Koslowski sagen, dass sie am Wochenende nie Ruhe haben, weil die Studenten über ihnen immer Partys feiern. 6. Herta und Erika Plaschke sagen, dass es sehr laut im Haus ist, weil die Kinder von Koslowskis in der Wohnung Fußball spielen.

S. 163 Wohnungssuche im Ruhrgebiet

1 B4 • C1 • D3

2 3 • 6 • 1 • 7 • 5 • 2 • 4: Guten Tag, Frau Petrera. Wollen Sie gleich mal die Wohnung anschauen? – Ja gern. ... Wie groß ist die Wohnung? 68m²? Hm, die Küche ist sehr schön. Und das Wohnzimmer ist ... – Ja, das Wohnzimmer ist sehr hell. Sagen Sie Frau Petrera, Sie haben doch keine Kinder, oder? – Nein, Kinder habe ich keine. Der Balkon ist auch toll. – Keine Kinder, gut. Haben Sie Haustiere? – Nein, ich habe auch keine Haustiere. Ich habe keinen Mann und ich rauche nicht. Sonst noch Fragen? – Also so etwas. So eine Mieterin will ich nicht haben. Gehen Sie bitte, aber schnell.

3 2. Sie 3. der Vermieter 4. der Vermieter 5. Sie 6. der Vermieter 7. der Vermieter 8. Sie 9. der Vermieter 10. Sie